Quando sou fraco, sou forte

Quando sou fraco, sou forte

Um caminho surpreendente para a realização pessoal

ANDY CROUCH

Traduzido por Estevan F. Kirschner

MUNDO CRISTÃO

Publicado originalmente por InterVarsity Press, Downers Grove, Illinois, EUA.

Os textos bíblicos foram extraídos da *Nova Versão Transformadora* (NVT), da Tyndale House Foundation, salvo indicação específica.

CIP-Brasil. Catalogação na publicação
Sindicato Nacional dos Editores de Livros, RJ

C958q

Crouch, Andy
Quando sou fraco, sou forte : um caminho surpreendente para a realização pessoal / Andy Crouch ; tradução Estevan F. Kirschner. - 1. ed. - São Paulo : Mundo Cristão, 2022.
176 p.

Tradução de: Strong and weak
ISBN 978-65-5988-116-1

1. Espiritualidade. 2. Cristianismo. 3. Vida cristã. 4. Sucesso - Aspectos religiosos. I. Kirschner, Estevan F. II. Título.

22-78110 CDD: 248.4
CDU: 27-584

Gabriela Faray Ferreira Lopes - Bibliotecária - CRB-7/6643

Categoria: Espiritualidade
1ª edição: agosto de 2022

Edição
Daniel Faria

Revisão
Natália Custódio

Produção
Felipe Marques

Diagramação
Marina Timm

Colaboração
Ana Luiza Ferreira
Ricardo Shoji

Capa
Jonatas Belan

Publicado no Brasil com todos os direitos reservados por:

Editora Mundo Cristão
Rua Antônio Carlos Tacconi, 69
São Paulo, SP, Brasil
CEP 04810-020
Telefone: (11) 2127-4147
www.mundocristao.com.br

Sumário

1. Para além da falsa escolha 7
2. Desenvolvimento pessoal 23
3. Sofrimento 44
4. Recolhimento 66
5. Exploração 84
Interlúdio: O caminho para o desenvolvimento pessoal 100
6. Vulnerabilidade oculta 105
7. Descer ao mundo dos mortos 129
8. Para o alto e à direita 147

Agradecimentos 169
Um guia para discussão 170
Notas 173

Em memória de Steve,
alegremente

1

Para além da falsa escolha

Duas perguntas assombram cada vida humana e cada comunidade de seres humanos. A primeira é: *O que deveríamos ser?* A segunda: *Por que estamos tão distantes do que deveríamos ser?*

Os seres humanos têm uma percepção inevitável de que a vida tem um propósito, e uma percepção obstinada de que não alcançamos nosso propósito. Alguma coisa não funcionou corretamente no trajeto de nos tornarmos aquilo que deveríamos ser, tanto de forma individual como coletiva.

A primeira pergunta expõe a lacuna em nosso entendimento de nós mesmos, nossa percepção incompleta de que deveríamos ser mais do que sabemos. Como é que podemos ter essa profunda percepção de propósito e, ainda assim, não ter a capacidade de nomear ou compreender esse propósito com facilidade? Mas essa é a condição humana.

A segunda pergunta expõe a lacuna entre nossas aspirações e nossas realizações, entre nossas esperanças e nossa realidade, entre nossa busca e aquilo que conseguimos alcançar. Se a primeira pergunta dá voz às maiores esperanças, a segunda traz à tona os mais profundos remorsos. Ter ao mesmo tempo grandes esperanças e grandes remorsos é também, infelizmente, a condição humana.

Neste livro eu ofereço uma maneira de responder a ambas as questões propostas. Ela é simples o bastante para explicar em um ou dois minutos de conversa, ou em uma ou duas páginas de um livro — já vai aparecer depois de algumas páginas, e você compreenderá sua essência quase que de imediato. Você verá a resposta ativamente em suas amizades, em seu local de trabalho, em sua família e em sua série de TV ou filme favorito, e você encontrará a resposta nas páginas das Escrituras e nos momentos mais rotineiros de seu dia a dia. Você a encontrará nos mais apavorantes contextos de injustiça e exploração, e nos momentos mais inspiradores de compaixão e reconciliação.

Muitas das ideias simples são *simplistas* — elas excluem muita coisa da realidade a fim de se tornarem úteis. A ideia deste livro não é simplista, porque é um tipo especial de ideia simples, do tipo que chamamos de *paradoxo*. Ela mantém juntas duas verdades simples num relacionamento simples, mas gera tensão frutífera, complexidade e possibilidade. Passei a chamar isso de o *paradoxo do desenvolvimento pessoal*.

"Desenvolvimento pessoal" é uma maneira de responder à primeira grande pergunta, *O que deveríamos ser?* Fomos feitos a fim de nos desenvolver — não apenas sobreviver, mas crescer; não apenas existir, mas examinar e expandir. "*Gloria Dei vivens homo*", escreveu Ireneu. Uma tradução livre, mas de modo nenhum incorreta, dessas palavras se tornou popular: "A glória de Deus é um ser humano plenamente vivo". Desenvolvimento pessoal significa estar plenamente vivo. Quando lemos ou ouvimos essas palavras, algo em nós desperta, se ergue e se curva à frente com interesse. O estar plenamente vivos não nos conecta apenas com o nosso devido propósito humano, mas também com a própria estatura e profundidade da glória divina. Viver plenamente aqui esta vida transitória nesta terra frágil, de modo que participemos da glória de Deus — é isso mesmo que seria o desenvolvimento pessoal. E é para isso que fomos feitos.

Todo paradoxo requer que aceitemos duas coisas que parecem antagônicas. O paradoxo do desenvolvimento pessoal é que o verdadeiro desenvolvimento exige duas coisas que à primeira vista não parecem combinar. De fato, se você não tiver ambas as coisas, não se desenvolverá e não criará condições disso para os outros.

Este é o paradoxo: o desenvolvimento pessoal ocorre quando se é ao mesmo tempo forte e fraco.

Desenvolvimento pessoal exige que adotemos autoridade e vulnerabilidade, capacidade e fragilidade — e até mesmo, neste mundo danificado, tanto a vida como a morte.

A resposta à segunda grande pergunta, *Por que estamos tão distantes do que deveríamos ser?*, é que nos esquecemos desse paradoxo básico do desenvolvimento, que é o segredo de estar plenamente vivos. Na realidade, não nos esquecemos dele, como se o tivéssemos colocado, sem pensar, num lugar diferente. A verdade é que o suprimimos, o escondemos, fugimos dele. Simplesmente por que o tememos.

Eu costumava pensar que a coisa que mais temíamos era a vulnerabilidade, a parte expressa como "fraco" no paradoxo. No entanto, ao escrever este livro e conversar com outras pessoas a respeito do paradoxo do desenvolvimento pessoal, cheguei à conclusão de que também tememos a autoridade. A verdade é que temos medo dos dois lados do paradoxo do desenvolvimento pessoal — e, em especial, tememos combinar as duas coisas na única maneira que verdadeiramente leva à vida real, tanto para nós como para os outros.

> Desenvolvimento pessoal ocorre quando se é ao mesmo tempo forte e fraco.

Este livro trata de como adotar a vida para a qual fomos feitos — a vida que acolhe o paradoxo do desenvolvimento pessoal, que busca uma maior autoridade e uma maior vulnerabilidade *ao mesmo tempo*.

Acima de tudo, porém, este livro diz respeito a um gráfico, o melhor jeito e o mais simples que conheço de explorar o paradoxo do desenvolvimento pessoal. Na realidade, é apenas um esboço, o tipo de coisa que você pode desenhar num guardanapo de papel, mas que nos dará muito o que pensar no restante deste livro (ver figura 1.1).

É uma das minhas coisas prediletas: um diagrama do tipo 2x2.

O poder do 2x2

Nada pode ser mais satisfatório para mim do que um diagrama 2x2 na hora certa. O diagrama 2x2 nos ajuda a captar a natureza do paradoxo. Quando o usamos de forma apropriada, o diagrama 2x2 pode tomar duas ideias que julgamos opostas entre si e nos mostrar como elas se complementam.

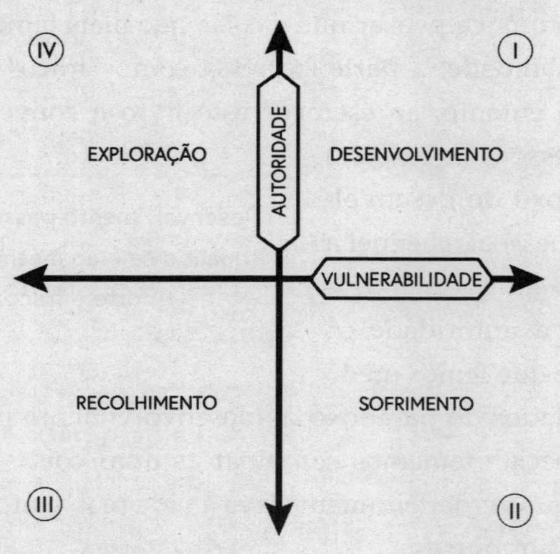

Figura 1.1

O mundo está abarrotado de falsas opções. Jim Collins e Scott Porras, autores que escrevem sobre liderança, mencionam a "tirania do OU e a genialidade do E". Será que produtos deveriam ter preço baixo *ou* alta qualidade? A quem servem os administradores, a seus investidores *ou* a seus empregados? As empresas com maior capacidade de gerar transformação incluem as duas coisas. Somos produtos de nossa natureza criada *ou* de nossa criação desde o berço? Essas coisas não se opõem — elas precisam se combinar.

O mundo do cristianismo tem suas próprias versões: A missão da igreja é a evangelização e a proclamação *ou* a justiça e sua demonstração na prática? Deveríamos ser conservadores *ou* radicais, contemplativos *ou* ativos, separados do mundo *ou* engajados nele? Ou, ainda, o assunto que quase produziu o primeiro grande diagrama 2x2 da Bíblia: A vida do cristão tem a ver com fé *ou* obras? ("Mostre-me sua fé sem obras e lhe mostrarei um diagrama 2x2 de minha fé e obras", Tiago 2.18, na minha versão do original em grego!). Então, você estará preparado para a questão mais importante: Jesus de Nazaré era humano *ou* divino? Ele era o Filho do Homem *ou* o Filho de Deus?

Em todos esses casos, aquilo de que precisamos não é de um unidimensional "ou", mas de um bidimensional "e", que nos force a ver as surpreendentes conexões entre duas coisas que pensávamos mutuamente exclusivas. E, talvez, até descubramos que ter a plenitude de uma requer que tenhamos a plenitude da outra.

Um dos melhores exemplos vem de estudos da criação eficaz de filhos — o tipo de criação que produz filhos que mostram autoconfiança e domínio próprio. O que é melhor: ser pais rigorosos e exigentes que estabelecem limites firmes, ou pais acessíveis e participativos que interagem com seus filhos com calor humano e compaixão? Se você for um pai ou uma mãe, em que lugar dessa abrangência você deseja estar (ver figura 1.2)?

Figura 1.2

Se a questão for feita dessa maneira, a maioria dos pais se inclinará para uma ou para a outra coisa. Alguns vão mencionar Provérbios — "poupe a vara e estrague o filho" — e optarão pela firmeza (Pv 13.24). Outros vão apontar Paulo — "Pais, não tratem seus filhos de modo a irritá-los" — e preferirão o calor humano (ver Ef 6.4; Cl 3.21).

Ambos estarão certos.

Firmeza e calor humano, na verdade, não são realmente opostos.[1] Eles podem andar juntos. De fato, devem andar juntos para que os filhos se desenvolvam em âmbito pessoal. O relacionamento entre ambos se percebe melhor num diagrama 2x2 (ver figura 1.3).

Se você trabalhar a firmeza e o calor humano desse modo, descobrirá rapidamente que *preferir* um sem o outro é educação deficiente. Firmeza sem calor humano — quando pais são autoritários — leva em última análise à rebelião. Calor humano sem firmeza — quando pais são indulgentes — produz em última análise fedelhos mimados e cheios de exigências.

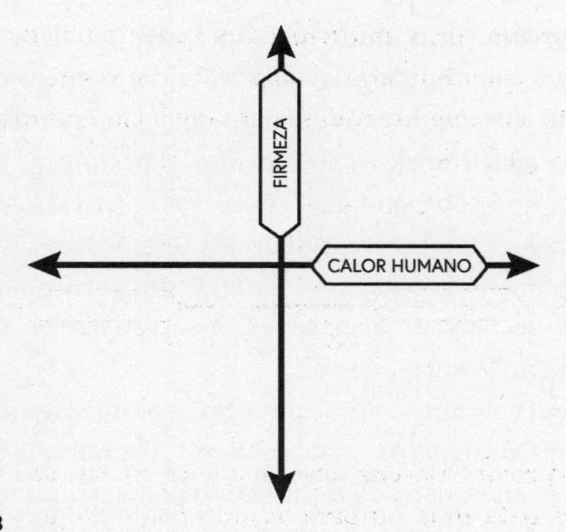

Figura 1.3

Na realidade, não existem apenas duas maneiras de ser um pai ou uma mãe ruim; existem três! O pior tipo de pais não são nem os calorosos nem os firmes, mas os ausentes (ver figura 1.4).

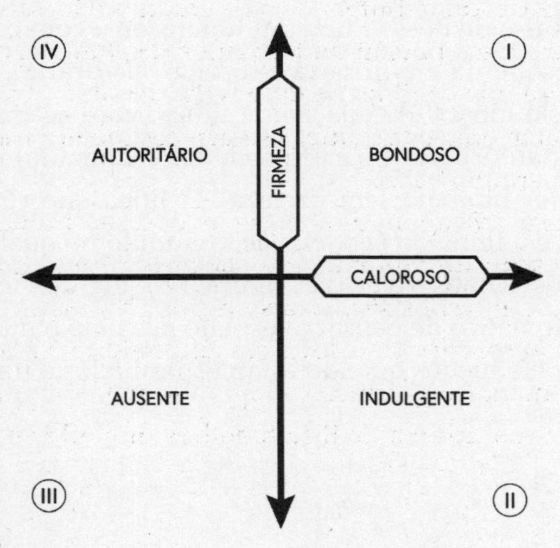

Figura 1.4

Existe, sim, uma diferença entre ser "legal" e ser bondoso.[2] Pais que são "legais" vão até a parte inferior no lado direito do diagrama, acomodando-se a sentimentos fáceis e calorosos sem nunca estabelecerem expectativas elevadas. Mas pais que são bondosos conseguem ser claros e firmes enquanto são também carinhosos e afetuosos. Os psicólogos os chamam de pais *com autoridade* em vez de *autoritários*. Os melhores pais, no diagrama 2x2, são ao que estão no alto e à direita no gráfico.

Há ainda algumas outras percepções ocultas nesse simples diagrama. Numerei os quadrantes no diagrama usando numerais romanos, de I a IV, começando pelo quadrante ideal na parte superior à direita, continuando no sentido horário — na mesma ordem e direção os consideraremos nos próximos quatro capítulos.[3] Considere a linha que desce do alto à esquerda até a parte inferior à direita, do quadrante IV (Autoritário) ao quadrante II (Indulgente), da firmeza sem calor humano ao calor humano sem firmeza.

Lembra-se de nossa linha unidimensional com o calor humano à esquerda e a firmeza à direita? Na prática, se esse é seu modelo mental de criação de filhos, você acabará por se tornar ou autoritário (firmeza sem calor humano) ou indulgente (calor humano sem firmeza). A linha que vai de IV a II descreve a linha da *falsa escolha*, o mundo no qual frequentemente pensamos viver (ver figura 1.5). Ela descreve nosso modo automático de pensar a respeito de como o mundo funciona — pelo menos quando estamos limitados a um modelo unidimensional.

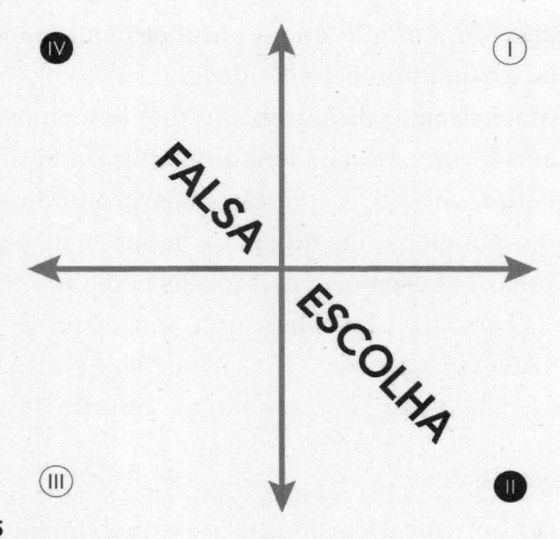

Figura 1.5

Uma vez que nem a criação autoritária nem a criação indulgente produz resultados saudáveis, elas acabam por causar e reforçar uma a outra. Ser criado num lar autoritário pode muito bem fazer de você, como reação, um pai ou mãe indulgente. Ser criado num ambiente indulgente poderá fazer de você hiperzeloso em relação à rigidez quando seus próprios filhos aparecerem. Muito daquilo que é disfuncional em nossa vida surge da oscilação na linha dessa falsa opção, nunca percebendo que existe um outro caminho.

Mais uma observação: Há um quadrante no diagrama que realmente é o pior de todos. É o quadrante III (Ausente), o quadrante da retirada e não envolvimento. Pais autoritários podem não suprir a necessidade de afetividade de seus filhos, mas pelo menos oferecem estrutura. Pais indulgentes podem não oferecer estrutura, mas pelo menos criam um ambiente de acolhimento e afirmação. No entanto, pais ausentes deixam dois vazios na vida de seus filhos, não apenas um. Existe algo no quadrante do Ausente que é peculiarmente danoso — o oposto total do quadrante do Bondoso.

Poderíamos resumir da seguinte forma: Tendemos a pensar que devemos levar a vida ao longo da linha da falsa escolha, a linha IV–II. Contudo, a questão mais profunda de nossa vida é como podemos nos mover cada vez mais para longe do quadrante III (Ausente) e mais e mais perto do quadrante I (Bondoso). O eixo III–I é o mais importante de todos: é aquele que conduz da vida que não vale a pena viver para a vida que realmente é vida. E isso, em resumo, é o assunto deste livro.

O paradoxo de Jesus

Nenhum ser humano incorporou o desenvolvimento pessoal mais do que Jesus de Nazaré. Nenhuma vida humana (muito menos a morte) jamais trouxe maior desenvolvimento para os outros. E é precisamente por isso que nenhuma outra vida coloca em foco, de maneira mais clara, o paradoxo do desenvolvimento pessoal. Vemos na vida de Jesus dois padrões distintos que podem parecer impossíveis de reconciliar.

Por um lado, considere os aspectos que dão início e fim a sua vida na terra. Ele nasceu como criança e era totalmente dependente, como qualquer outro ser humano. Terminou sua vida numa cruz romana, foi sepultado e desceu ao mundo dos mortos. Um dos textos cristãos mais antigos expõe isso do seguinte modo:

> Embora sendo Deus,
> não considerou que ser igual a Deus
> fosse algo a que devesse se apegar.
> Em vez disso, esvaziou a si mesmo;
> assumiu a posição de escravo
> e nasceu como ser humano.

Quando veio em forma humana,
humilhou-se e foi obediente até a morte,
e morte de cruz.

Filipenses 2.6-8

Por outro lado, o ministério público de Jesus foi bem-sucedido por três anos e seus efeitos ecoam pela cultura através de história e por todo o mundo — a vida mais importante que já viveu. Os cristãos creem que esse mesmo Filho do Homem e Filho de Deus está agora assentado à direita do Pai, e é o verdadeiro Senhor do mundo e aquele que envia seu Espírito de poder a fim de equipar-nos para viver sua vida no mundo. Citando a linha seguinte do texto antigo já mencionado: "Por isso Deus o elevou ao lugar de mais alta honra e lhe deu o nome que está acima de todos os nomes" (Fp 2.9). De fato, o próprio Jesus disse a seus seguidores que eles fariam coisas até maiores do que ele mesmo tinha feito (Jo 14.12).

Como é possível que esses dois chamados coexistam — o chamado à humildade e o chamado à coragem, à morte e à vida, à entrega àquilo que o mundo tem de pior e a reinar com Cristo sobre o mundo?

Mas como é possível que esses dois chamados coexistam — o chamado à humildade e o chamado à coragem, à morte e à vida, à entrega àquilo que o mundo tem de pior e a reinar com Cristo sobre o mundo?

O que isso significa para aqueles de nós que têm algum espaço de escolha e ação, aqueles de nós que receberam privilégio e poder? O que isso significa para aqueles que vivem nos cantos mais cruéis do mundo, em cenários de injustiça e opressão implacáveis? Existe mesmo algum modo de exercer uma liderança semelhante à de Cristo dentro dos limites de nossas falidas instituições humanas, até o limite de cima (ou de baixo) da própria igreja? Quais seriam as práticas específicas que poderíamos adotar para viver de formas que encarnem a verdadeira imagem e que produzam um desenvolvimento duradouro?

Precisamos encontrar um meio de manter unidas essas duas facetas, aparentemente opostas, da vida de Jesus, um meio de navegar essa complexidade sem sermos engolidos por ela. Isso significa que necessitamos de um diagrama 2x2, é claro.

As dimensões do poder

Tenho certeza de que você já percebeu o que está por vir. As duas dimensões da vida de Jesus, sua vulnerabilidade na dependência e na morte por um lado, sua autoridade em seu ministério terreno e sua exaltação ao céu por outro lado, podem simplesmente parecer alternativas lineares. Exaltação ou humilhação? Ascensão ou crucificação? Milagres de cura, libertação e mesmo a ressurreição, ou "Meu Deus, meu Deus, por que me abandonaste?" O túmulo vazio ou a cruz? O único modo de manter essas coisas unidas é num diagrama 2x2 (ver figura 1.6).

Como que por instinto, alguns de nós se identificarão com a dimensão da "vulnerabilidade", ou até mesmo terão aspirações por ela. Talvez seja a realidade de nossa vida — e é a realidade definitiva de toda vida mortal. Pode ser que a realidade da comunidade ou da família na qual tenhamos nascido nos torne profundamente cônscios dos limites de nosso poder e da precariedade de nossas circunstâncias. Ou, então, desejamos nos identificar com pessoas ou lugares vulneráveis. E é da perspectiva de lugares e de pessoas assim que olhamos para Jesus e vemos vulnerabilidade. Jesus se identificou com os vulneráveis em seu nascimento, vida e morte. Quer nos identifiquemos com a vulnerabilidade, quer tenhamos aspirações por ela, encontraremos Jesus ali.

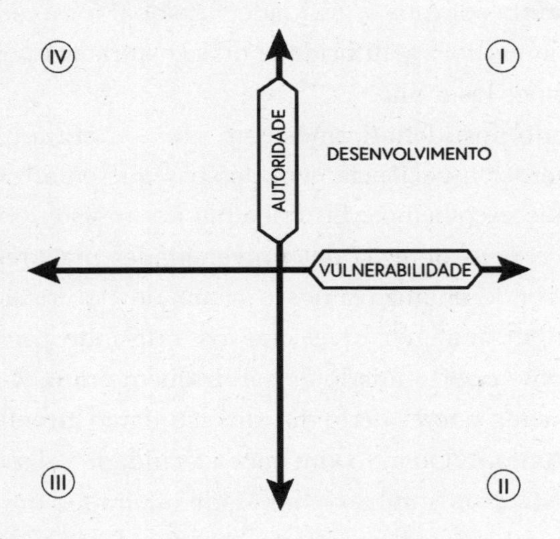

Figura 1.6

Por outro lado, alguns de nós se identificam com a autoridade ou aspiram por ela. As pessoas nos dizem que podemos fazer diferença no mundo; recebemos oportunidades para a criatividade e liderança. Os outros respondem de forma positiva quando sugerimos um plano e ação. Talvez tenhamos investido consideráveis parcelas de tempo e dinheiro (quem sabe o dinheiro de nossos pais) com o objetivo de ganhar autoridade na forma de treinamentos, certificados e cursos. Olhamos para Jesus e vemos autoridade: mesmo aos doze anos no templo, discutindo poderosamente com os escribas; de pé na sinagoga da cidade em que cresceu e anunciando corajosamente que ele próprio era o cumprimento da visão do profeta; confundindo Pilatos e os líderes judeus, até mesmo quando já estava acorrentado; soprando sobre os discípulos depois da ressurreição e concedendo-lhes seu Espírito, e dizendo-lhes que haviam sido comissionados a sair pelo mundo afora com sua autoridade. Seja qual for o caso, se nos identificamos com a autoridade ou se aspiramos por ela, encontraremos Jesus ali.

Quando nos identificamos com uma ou outra dimensão, é fácil perder a paciência com pessoas que enfatizam aquela que não escolhemos. Eu trabalhei no ministério universitário no *campus* de uma das universidades mais renomadas do país, onde enfatizávamos o chamado do cristão para o trabalho em qualquer nível que fosse, usando privilégios e poder como oportunidade de servir quem era material e espiritualmente pobre. Certo dia, um estudante afro-americano me confrontou. "Quando vim para a faculdade", disse ele com certa frustração, "minha comunidade inteira fez um culto de oração e impôs as mãos sobre mim a fim de me comissionar a ir para Harvard. E agora você quer que eu diga a eles que estou voltando para a vizinhança com o objetivo de trabalhar para um ministério sem fins lucrativos?" A comunidade dele o havia comissionado para exercer autoridade — poder e posição numa cultura em que historicamente isso esteve ausente e onde havia pouca representatividade. Quem era eu para dizer a ele que não devia permanecer nesse caminho?

O que me faltava, àquela altura da vida, era um diagrama 2x2 sobre a concepção de autoridade e vulnerabilidade — a possibilidade de que a jornada do discipulado cristão, e do poder verdadeiro, pudesse envolver não somente o progresso em direção a um ou ao outro, mas em direção aos dois simultaneamente. Tal concepção não iria simplesmente autorizar meu aluno a abandonar sua vulnerabilidade e perseguir o privilégio e o poder, mas também não me autorizava a ignorar sua busca (e de sua comunidade) por desenvolvimento pessoal e a autoridade que esse desenvolvimento requer.

Este livro é a minha resposta tardia para aquele estudante. Primeiro, examinaremos as quatro combinações possíveis de autoridade e vulnerabilidade num diagrama 2x2. Combinados de maneira apropriada, autoridade e vulnerabilidade levam ao desenvolvimento pessoal (capítulo 2). Mas quando uma das duas estiver ausente — ou pior, quando ambas estiverem ausentes — encontraremos distorções de seres humanos, organizações e instituições. Encontraremos *sofrimento, recolhimento* e *exploração* (capítulos 3, 4 e 5), que, em suas formas mais virulentas, se tornam pobreza, indiferença e tirania. Essas coisas nem sempre parecem ser ruins — pobreza pode aparentar uma forma branda de esvaziamento de poder, indiferença pode dar a impressão de segurança, e tirania frequentemente se assemelha à maestria. Numa outra camada de complexidade, fica claro que todos nós inevitavelmente investimos nosso tempo em cada um desses três quadrantes, e a graça de Deus é real e está disponível em cada um deles. No entanto, nenhum deles é a plenitude daquilo para o que fomos feitos, ou seja, a vida que é vida real.

Portanto, como nos movemos para o alto e para a direita nesse diagrama 2x2? Supreendentemente, em vez de apenas nos movermos prazerosamente na direção de uma autoridade que vai crescendo e de uma vulnerabilidade que vai se tornando maior, temos de empreender duas jornadas assustadoras, cada uma delas aparentando ser desvios que afastam do quadrante principal. A primeira é a jornada para a *vulnerabilidade oculta* (capítulo 6), a disposição de carregar fardos e de nos expor a riscos que ninguém mais pode ver ou compreender inteiramente.

A segunda é *descer ao mundo dos mortos* (capítulo 7), a escolha por visitar os cantos mais despedaçados do mundo e de nosso próprio coração. Somente quando tivermos feito essas duas jornadas decisivas seremos o tipo de pessoas a quem verdadeiro poder pode ser confiado, o poder que se move *para o alto e para a direita* (capítulo 8) e que traz consigo aqueles que foram vítimas das armadilhas da tirania, indiferença e pobreza.

No livro *Mountains Beyond Mountains* [Montanhas para além das montanhas], o renomado médico do serviço público Paul Farmer diz a seu biógrafo, Tracy Kidder: "As pessoas me chamam de santo e eu penso que devo trabalhar mais ainda. Porque ser santo é uma coisa muito grande".

Entendo que Farmer tem toda a razão ao dizer que ser santo é uma coisa muito grande. Em última análise, os santos são as pessoas que reconhecemos como plenamente vivas — as pessoas que alcançaram o desenvolvimento pessoal e que o trouxeram aos outros, aqueles em quem a glória de Deus pôde ser mais plenamente vista. Não existe nenhum outro objetivo mais elevado para nós do que nos tornarmos pessoas que sejam tão cheias de autoridade e de vulnerabilidade de forma a refletirmos perfeitamente aquilo que os seres humanos foram designados para ser e a mostrarmos a realidade do Criador no meio da criação. "A vida tem apenas uma tragédia", escreveu o católico francês Léon Bloy, "a de não ter sido um santo."

Todavia, tornar-se um santo é bem mais do que "trabalhar mais ainda" — ou, melhor dizendo, é bem menos do que isso. Se você suspeita, como diz Farmer, que ser santo é uma coisa muito grande, e se você suspeita que jamais poderia trabalhar duro o bastante para realmente se tornar um santo, então você está no caminho certo para o verdadeiro desenvolvimento pessoal.

2
Desenvolvimento pessoal

O desenvolvimento pessoal é algo que tanto nós como aqueles próximos de nós buscamos e desejamos. O conceito resume a afirmação de Jesus sobre seu propósito de vida em João 10.10: "Eu vim para lhes dar vida, uma vida plena, que satisfaz". Também ecoam as palavras de Paulo a Timóteo. Enquanto o jovem Timóteo procurava pastorear as pessoas abastadas de sua congregação, Paulo o exorta a conduzi-las a fim de "experimentarem a verdadeira vida" (1Tm 6.19). Estar vivo de modo pleno, transbordante e glorioso — é isso que desenvolvimento pessoal quer dizer. Que mais alguém pode desejar?

No entanto, existe um perigo aqui, e Paulo compreendeu isso. Dizer que existe uma "verdadeira vida" subentende a existência de uma vida que *não* é verdadeiramente vida. Você pode se enganar. Você pode perder isso de vista. Você pode até viver toda a sua vida sem nunca saber o que significa a verdadeira vida. E Paulo sugere que os ricos são as pessoas que correm o maior risco de perder a "verdadeira vida".

Uma vez que todos os leitores deste livro possuem bens que seriam inimagináveis para Paulo e Timóteo — recursos que estão fora do alcance da maioria dos bilhões de pessoas com quem compartilhamos este planeta —, a advertência de Paulo deveria ressoar em nossos ouvidos. Se existe uma vida que não é de fato vida, certamente também existe um desenvolvimento pessoal que não é realmente desenvolvimento pessoal. Assim, talvez, deveríamos ser lembrados do que o desenvolvimento pessoal *não é*.

Desenvolvimento pessoal não é a vida que vemos caracterizada nas mensagens comerciais que saturam a imaginação de todos que habitam o mundo permeado pela mídia. Nessas mensagens comerciais vemos tribos da geração da virada do milênio não dando muito valor às suas características multiculturais; encontramos famílias felizes, com pais responsáveis mas "descolados", com filhos irreverentes e ainda assim adoráveis; vemos jovens adultos aposentados sentados em varandas ensolaradas, todos eles resplandecentes no calor do momento apoteótico do fotógrafo.

Desenvolvimento pessoal não é a saúde como normalmente entendemos. Existem indivíduos com profundas necessidades especiais, tanto físicas como mentais, que não somente alcançam o desenvolvimento pessoal como também possibilitam a outros alcançar esse desenvolvimento. Ao mesmo tempo, existem academias repletas de indivíduos que atingem recordes pessoais em seu desempenho, e ainda assim não tendo qualquer desenvolvimento pessoal.

Desenvolvimento pessoal não é o mesmo que crescimento. Existe um tipo de capim, chamado *kudzu*, que cresce por toda parte no sul dos Estados Unidos. Apesar do crescimento gigantesco dessa erva daninha ao lado de todas as rodovias, isso de fato não é desenvolvimento.

Desenvolvimento pessoal não é afluência. É possível que haja desenvolvimento pessoal daqueles que são materialmente pobres, bem como doença espiritual debilitante entre indivíduos com posses.

Desenvolvimento pessoal não é gentrificação. Existem comunidades em pleno desenvolvimento que nunca constam nas listas de bairros da moda. Alimentos orgânicos ou um súbito influxo de pessoas carregando colchonetes para a prática de ioga não são garantia de que exista ali uma comunidade em desenvolvimento.

Como podemos estar certos de que desenvolvimento pessoal não é nenhuma dessas coisas? Porque o ser humano mais influente da história era um carpinteiro e mestre judeu que não vivia num bairro da moda (embora, para ser honesto, ele até falou para pelo menos uma pessoa pegar seu colchonete). Ele nunca chamou a atenção por sua aparência física (de fato, "Não havia nada de belo nem majestoso em sua aparência, nada que nos atraísse", ver Is 53.2). À medida que sua missão alcançava seu ponto culminante, seu círculo de seguidores, que primeiramente havia expandido, agora encolhia — de curiosas multidões de milhares de pessoas até restarem apenas algumas mulheres perseverantes e quebrantadas ao pé de sua cruz.

Ele viveu a vida humana mais exemplar possível, mas não era uma vida que se pareça com a imagem confusa de afluência com a qual caracterizamos o desenvolvimento pessoal.

Defina desenvolvimento pessoal de uma forma descuidada — faça isso de forma rápida, instintiva, de uma posição de poder ou privilégio temporal — e você acabará errando o alvo inteiramente, ou aquele que é verdadeiro.

Você acabará errando em relação a Jesus — também errará em relação a Angela.[1]

Angela

Assim como todos os filhos de minha irmã Melinda, sua terceira (Angela) de um total de quatro nasceu no interior de uma bolha de plástico inflável no meio da sala de estar, sob a assistência de uma parteira e cercada por toda a família. Essa cena lhe dará uma ideia de como minha irmã é corajosa, forte e contracultural. (Minha esposa Catherine e eu preferimos a experiência do milagre de uma nova vida que nasce, digamos, em ambientes mais controlados.)

Contudo, quando Angela chegou ao mundo, a orientação paciente e entusiasta da parteira subitamente se transformou em emergência resoluta. Nunca me esquecerei de ter atendido ao telefone, a quinhentos quilômetros de distância, e ouvir a voz embargada de meu pai com dificuldades para dizer: “Há algo errado com o neném”. Nesse meio-tempo, Melinda, seu marido, a parteira e Angela já estavam dirigindo em alta velocidade para o hospital regional, num percurso de meia hora pela estrada que seguia pelas montanhas.

De fato, havia algo errado com a criança — uma coisa básica que fez com que outras coisas estivessem erradas também. Depois de vários exames nos dias subsequentes, os médicos concluíram que Angela tinha três cópias de seu décimo terceiro cromossoma, uma condição conhecida como síndrome de Patau, ou trissomia 13. (A condição muito mais comum chamada síndrome de Down está relacionada com uma cópia extra do vigésimo primeiro cromossoma, trissomia 21.) Algumas crianças nascem com uma leve versão "em mosaico" dessa condição que afeta somente algumas células. No caso de Angela, todas as células tinham esse código debilitante de instrução extra.

Muitas crianças com síndrome de Patau morrem antes mesmo do parto, e metade daquelas que nascem acabam morrendo na primeira semana de vida. A síndrome de Patau afeta quase tudo no corpo humano, e para o pior: desde calotas cranianas não fundidas — e foi isso o que, primeiramente, alertou a parteira quanto à necessidade urgente de atenção médica no caso de Angela — até os dedos do pé curvados para dentro. Essa condição é tão rara que até mesmo a maioria dos médicos da instituição interiorana onde ela recebeu atendimento somente tinha ouvido a respeito disso, mas nunca tinha visto. E quando viram a condição de Angela, suas palavras foram desalentadoras.

Meu cunhado ainda conserva o bloco de anotações no qual tentou organizar o que muitos especialistas diziam durante aqueles primeiros dias frenéticos. Já no início, ele havia escrito a frase: "Incompatível com a vida". Ainda assim, depois de onze anos, Angela ainda estava viva.

Ela não podia ver ou ouvir de maneira significativa; não conseguia andar; não podia se alimentar ou tomar banho.

Não tinha a menor ideia do que é a linguagem humana. Podíamos apenas imaginar o que ela conhecia ou entendia de sua mãe, pai, avós, irmão e irmãs. Bem no começo, ela reagia à voz e ao toque; em anos recentes, ainda que tivesse se desenvolvido fisicamente, ela se retirava por longos períodos para um mundo distante e desconhecido.

E isso nos leva à pergunta: Angela está se desenvolvendo pessoalmente?

O desenvolvimento da pessoa vulnerável

Se a sua definição de desenvolvimento pessoal é do tipo de vida apregoada para nós pela cultura popular de consumo, a resposta óbvia é que Angela não está se desenvolvendo — nunca esteve e nunca estará. Ela não pode adquirir as coisas das quais gosta; é incapaz de impressionar seus colegas; não consegue nem mesmo "se expressar" nas formas que imaginamos sejam tão importantes para a nossa própria satisfação.

Mas, talvez, a questão tenha as coisas de maneira invertida. Quando perguntaram para Jesus: "E quem é o meu próximo?", ele contou uma parábola que colocou a pergunta de pernas para o ar, ao terminar com a questão: "[Quem] era o próximo do homem atacado pelos bandidos?" (Lc 10.29,36).

Se tivéssemos de inverter a questão do desenvolvimento pessoal da mesma forma, quem sabe devêssemos perguntar: "Quem está ajudando Angela a se desenvolver?". Poderíamos indagar: "Quem está se desenvolvendo como pessoa por causa de Angela?". Ou até mesmo: "Como podemos ser o tipo de pessoa no meio das quais Angela se desenvolve e o tipo de pessoa que se desenvolve por ter Angela em seu meio?".

O desenvolvimento pessoal não é realmente a propriedade de um indivíduo, sejam quais forem suas capacidades ou incapacidades. O desenvolvimento pessoal descreve uma comunidade. A verdadeira questão do desenvolvimento pessoal envolve a comunidade que cerca Angela: seus pais e irmãos, sua família estendida, os médicos, educadores e nutricionistas qualificados que tomam conta dela, e, de um modo mais abrangente, a sociedade e nação na qual ela é uma cidadã. O verdadeiro teste para qualquer comunidade humana é como ela toma conta de seus membros mais vulneráveis, aqueles que são como Angela, que nem mesmo podem simular independência e autonomia. A questão não é se Angela está se desenvolvendo *por si só* ou não; a questão é se sua presença em nosso meio nos leva a nos desenvolvermos *juntos*.

A questão avança um passo adiante. Será que Angela nos ajuda em nosso próprio desenvolvimento? Ela nos oportuniza ser mais plenamente aquilo para o que fomos criados, mais engajados com o mundo em sua variedade e complexidade, envolvidos de modo mais profundo em relacionamentos e em dependência mútua, mais verdadeiramente livres?

A resposta surpreendente é que, exatamente por causa da grande vulnerabilidade de Angela, em razão dos imensos desafios que vieram ao mundo juntamente com ela, é possível um tipo de desenvolvimento pessoal que de outra forma jamais aconteceria. Por mais de dez anos, muitas pessoas têm tido a oportunidade de servir a Angela e sua família com competência e vulnerabilidade. As equipes de médicos, que têm cuidado dela desde os primeiros dias, tiveram de canalizar toda sua competência, como médicos e cuidadores,

A questão não é se Angela está se desenvolvendo *por si só* ou não; a questão é se sua presença em nosso meio nos leva a nos desenvolvermos *juntos*.

às suas diversas vulnerabilidades. No entanto, por sua condição ser tão complexa e abrangente, mera competência médica é de fato insuficiente. Todas as pessoas envolvidas com Angela precisam também assumir riscos: ter a disposição de aprender e descobrir que estão erradas, a disposição de se abrir para a realidade de que o cuidado médico mais eficaz somente oferecerá uma cura parcial.

O único tipo de força que pode sustentar a vida de Angela tem de ser aquele que é descrito no diagrama 2x2: no sentido do alto e do lado direito do diagrama. Competência sem vulnerabilidade é insuficiente. Também não é suficiente vulnerabilidade sem competência. Os dois em conjunto são necessários. E, sou levado a crer, essas duas coisas juntas são o próprio coração daquilo que significa ser humano e viver para Deus e para os outros.

Se existe alguém em sua vida que tenha contribuído de forma dramática para o seu desenvolvimento pessoal — um dos pais, um professor, um mentor, um amigo — eles muito certamente agiram com competência em sua vida e se expuseram à vulnerabilidade também.

Caso você faça parte de uma comunidade que experimentou desenvolvimento em alguma medida real (num negócio, numa igreja, numa vizinhança, numa equipe esportiva, num grupo musical, ou numa sala de aula), um grupo de pessoas que tenha experimentado um nível profundo de saúde e crescimento, no meio dos quais os vulneráveis foram bem-vindos e os fortes se tornaram vulneráveis, eu suspeito que você encontrará entre as características dessa comunidade tanto alta competência como alta vulnerabilidade. É desse jeito que fomos feitos para viver.

Verdadeira autoridade

Pense a respeito de autoridade da seguinte maneira:[2] *a capacidade de agir de forma significativa.* Quando você tem autoridade o que é feito ou não faz toda diferença no mundo ao redor. Professores e enfermeiras mostram competência na sala de aula e no hospital; encanadores demonstram autoridade ao trabalhar com o encanamento e paisagistas mostram a sua com as plantas; pilotos têm autoridade com aeronaves enquanto bibliotecários a têm em relação aos livros. Quando você tem autoridade, pode pedir, comandar ou mesmo meramente sugerir que algo tenha de ser feito, e assim será. Entretanto, nem toda autoridade tem a ver com a habilidade de comandar ou controlar. Às vezes, significa conhecer, ou ser conhecido, de maneiras que o libertam. Um engenheiro elétrico pode ler o diagrama de um circuito que nos deixaria pasmados, compreender como ele funciona e saber como fazê-lo funcionar melhor ainda. Se você já possui projeção no ramo dos negócios, poderá entrar numa reunião e todos que ali estiverem já conhecerão seu nome, seu caráter e suas realizações. Poderá se comportar de um modo em que não poderia se estivesse entre estranhos.

Autoridade exige que nossa ação seja *significativa* e não apenas uma atividade qualquer. Eu poderia dedilhar as cordas de um violão de forma aleatória, mas, por nunca ter estudado o instrumento, meu dedilhar não terá nenhum sentido ou valor musical. É provável que ninguém me impeça de pegar o instrumento e de dedilhar suas cordas, mas eu mesmo continuarei não possuindo qualquer competência para tocar violão.

O que faz de uma ação algo significativo? Antes de qualquer coisa, uma ação significativa participa de uma história. Ela tem um passado e um futuro. A ação significativa não surge de repente, do nada, e não some num instante; ela acontece dentro de uma história que tem importância.

A autoridade, pelo menos no que se refere a seres humanos, é sempre *limitada*. O presidente dos Estados Unidos possui muita autoridade dentro da nação, mas nenhuma quando visita outro país. E, é claro, essa capacidade para ações significativas lhe é conferida por somente quatro anos de cada vez, e no total máximo por oito anos. A autoridade não é limitada apenas ao tempo e espaço, mas também a domínios específicos. O diretor financeiro de uma firma tem ampla autoridade sobre os controles contábeis dessa firma; no entanto, geralmente não tem a mesma autoridade quando se trata de decisões quanto à publicidade da companhia, assim como não possui autoridade sobre as práticas contábeis de outra firma.

Talvez o mais importante de tudo é que a verdadeira autoridade é sempre *concedida*. A capacidade para agir de forma significativa não é algo que possuímos de nós mesmos, mas é algo que outras pessoas conferem a nós. Se não tivéssemos recebido incontáveis dádivas — linguagem, crescimento e amor — daqueles que cuidaram de nós enquanto éramos bebês e crianças, nenhum de nós teria a capacidade de agir de forma significativa no mundo. Se não tivéssemos recebido aprovação e sustentação constante em nossa capacidade de agir, nenhum de nós seria capaz de exercer qualquer tipo de autoridade/competência que temos hoje — como professores, pais, pastores, administradores ou instrutores. Sociólogos fazem distinção entre autoridade "atribuída" e autoridade "conquistada". A primeira é do tipo que vem de um título ou de uma herança e a segunda resulta de uma história de ações bem-sucedidas, mas ambas vêm de fora da pessoa.

Autoridade é como desenvolvimento pessoal, é uma realidade compartilhada, não uma propriedade privada.

Mais autoridade que qualquer outra criatura

Seres humanos possuem muito mais autoridade que qualquer outra criatura. Outras criaturas certamente agem e suas ações têm até mesmo efeitos duradouros, às vezes remodelando seu habitat de maneiras significativas (como o castor que constrói um dique). Entretanto, fazem isso de modo limitado e sempre num nicho ecológico específico. Os seres humanos, por sua vez, encontraram meios de se desenvolver e agir de modo significativo em quase todos os ecossistemas no planeta, desde as estepes da Sibéria às florestas tropicais, e em tempos modernos, até no continente da Antártica. Os primeiros leitores da ordem bíblica "Sejam férteis e multipliquem-se. Encham e governem a terra" (Gn 1.28) jamais puderam suspeitar de quão verdadeiramente os seres humanos têm sido capazes de cumprir esse mandato — e também do modo terrível em que temos abusado da terra.

De mesma forma, pelo menos no que nos é possível saber, nenhuma outra criatura age *de modo significativo* tal como os seres humanos o fazem — isto é, age como parte de uma história grandiosa e complexa acerca das origens e do destino do mundo e de seu lugar nele. Existem outras criaturas na Antártica, mas nenhuma delas pondera sobre a história e o destino de nosso planeta e do universo da maneira que os cientistas fazem, à medida que conduzem experimentos na região. (Aliás, o fato de seres humanos viajarem voluntariamente para uma terra de temperaturas constantes abaixo de zero, e sem luz durante três meses por ano, somente para *estudar* o mundo, é um testemunho extraordinário de nossa aspiração por significado.)

Nenhuma outra espécie tem um senso tão claro de responsabilidade por *outras* espécies — aquilo que a teologia cristã chama de *domínio*, a capacidade e responsabilidade de agir em favor do desenvolvimento do restante da criação. Depois de considerar a vastidão do cosmo e a pequenez do ser humano no meio dele, o autor do salmo 8 proclama:

> E, no entanto, os fizeste apenas um pouco menores que Deus
> e os coroaste de glória e honra.
> Tu os encarregaste de tudo que criaste
> e puseste sob a autoridade deles todas as coisas:
> os rebanhos, o gado
> e todos os animais selvagens;
> as aves do céu, os peixes do mar
> e tudo que percorre as correntes dos oceanos.
>
> Salmos 8.5-8

Essa autoridade, que é singularmente nossa como portadores da imagem de Deus, é uma dádiva em todo os sentidos. Ela não vem de nós mesmos como seres autônomos — ela é concedida por um Outro. E isso é bom. A tristeza de toda a história humana não é por termos autoridade, mas pela maneira como abusamos dela e a negligenciamos.[3] Nossa fascinação pela autoridade — o sentimento de frustração quando ela nos é negada, ou o sentimento de desgosto quando a perdemos — decorre de sua bondade fundamental.

Assim, autoridade é *presumida como característica de todos que portam a imagem de Deus* — até dos mais vulneráveis. Como bebês, muito antes de podermos sustentar a nós mesmos, aprendemos que éramos capazes de desempenhar atos significativos. Emergimos do útero e instintivamente procuramos reconhecer um rosto humano. Aprendemos que outros interpretariam nosso choro.

Até mesmo minha sobrinha Angela possui autoridade nesse sentido. É claro que a sua autoridade é limitada; mas, como já vimos, essa é uma realidade para cada ser humano. Assim como a autoridade de cada pessoa, a capacidade da Angela para atos significativos decorre da comunidade que está ao seu redor. Quando ela chora por frustração, fome ou desconforto, outras pessoas que estão à sua volta interpretam esses sons e respondem a ela. Elas incorporam suas ações, ainda que sejam inconscientes e limitadas, dentro de uma história, uma realidade compartilhada que contém um passado e um futuro. A capacidade que Angela tem de realizar atos significativos é uma dádiva, não há dúvida — algo que ela não é capaz de obter ou de sustentar por si mesma. Contudo, isso não a torna menos real. De fato, é isso que constitui a verdadeira autoridade.

Angela certamente tem a outra qualidade que faz de nós singularmente humanos, singularmente capazes de portar a imagem divina. A outra coisa essencial para o exercício do verdadeiro poder é a nossa vulnerabilidade.

Dois tipos de vulnerabilidade

O modo como usarei a palavra *vulnerabilidade* neste livro é um pouco diferente de seu uso hoje em dia, em que é frequentemente limitado ao aspecto de transparência pessoal e emocional. Vivemos numa época de um excessivo compartilhar de informações. Tanto pessoas comuns como celebridades revelam todo tipo de detalhes aparentemente vergonhosos e incriminadores de sua vida. Aliás, algumas pessoas que se tornaram celebridades simplesmente por causa do volume e da extravagância de sua exposição de si mesmas são enaltecidas por sua "vulnerabilidade".

Não é isso, porém, o que quero dizer com a vulnerabilidade que produz desenvolvimento pessoal. Em vez disso, pense nisso da seguinte forma: *a exposição a um risco significativo*. Às vezes, transparência emocional é realmente um risco significativo — mas nem sempre. Por exemplo, aquilo que é verdadeiramente vulnerável e uma expressão de coragem numa geração pode se tornar a chave do sucesso em outra geração. Quando se é capaz de conquistar fama, riqueza e significante poder cultural ao aparecer fisicamente nu com frequência na tela do computador, a nudez pode se tornar algo que tem a ver menos com a exposição que os seres humanos temem e mais com uma "exposição" de que todos que aspiram alcançar o *status* de celebridade necessitam — uma moeda de troca para o poder, não para a perda.

A vulnerabilidade que leva ao desenvolvimento pessoal exige risco.

A vulnerabilidade que leva ao desenvolvimento pessoal exige risco, que é a possibilidade de perda — a chance de que, quando agirmos, perderemos alguma coisa de valor. O risco, assim como a vida, sempre diz respeito a probabilidades, nunca a certezas. Arriscar-se é estar aberto à possibilidade de que alguma coisa dê errado, de que alguma coisa será tirada de nós — sem saber ao certo se essa perda acontecerá ou não.

Ser vulnerável é estar exposto à possibilidade de perda — e não apenas da perda de coisas ou bens, mas à perda do próprio senso de ser quem se é. *Vulnerável*, em sua definição básica, tem o sentido de *passível de ser ferido* — e qualquer ferimento mais profundo que um arranhão superficial machuca e limita não apenas nosso corpo, mas também o próprio senso de sermos nós mesmos. Ao nos ferirmos, somos forçados a nos tornar cuidadosos, sensíveis e hesitantes no modo como nos movemos no mundo, e isso se ainda pudermos nos mover por nós mesmos. Ser vulnerável significa a abertura de si mesmo à possibilidade — ainda que não à certeza — de que o resultado de nossa ação no mundo será uma ferida, algo que se perde, e que potencialmente jamais será reconquistado.

Aqui, novamente, precisamos que a palavra *significativo* faça o que lhe cabe fazer. Não falamos de risco casual, de nos colocarmos no caminho do ferimento sem que haja uma boa razão. Também não falamos de nos arriscar por coisas que não farão diferença, se forem mantidas ou se se perderem, apostando fichas que nunca serão cobradas. A verdadeira vulnerabilidade implica arriscar algo que tenha valor real e seja impossível de reparar. E, da mesma forma que a autoridade, a verdadeira vulnerabilidade abrange uma história — uma história que molda a razão de decidirmos nos arriscar e de um futuro que torna o risco válido, mas que também tem o potencial de ocasionar a perda. Quando nos expomos a risco significativo, ficamos vulneráveis no sentido em que uso a palavra neste livro.

Assim, transparência emocional *pode* ser um risco significativo ou uma manipulação calculada. Uma pessoa já poderosa talvez use o que aparenta ser honestidade emocional, até mesmo lágrimas, a fim de conquistar seguidores, evitar confrontações ou esquivar-se de prestar contas. Se você estiver num contexto em que a transparência emocional lhe dará, quase com certeza, espaço para que seja ouvido ou permitirá que sabote as críticas, ser emocionalmente transparente poderá, de fato, ser a coisa certa a fazer. Poderá se tornar até mesmo parte do exercício de sua *autoridade*, uma ação significativa que contribuirá para sua história na comunidade. Entretanto, isso não será necessariamente *vulnerabilidade*.

Criaturas expostas

A primeira palavra da "fábula sobre negócios" de Patrick Lencioni, *Getting Naked* [Desnudando-se], é *vulnerabilidade*.[4] Sua fábula neste livro é a história de uma pequena firma de consultoria de sucesso inesperado que foi engolida por uma companhia maior e mais convencional. O segredo do sucesso da firma menor era, de fato, a vulnerabilidade. Lencioni aplica a vívida expressão "desnudando-se" a ações que os consultores podem desempenhar diante de seus clientes e que desafiam diretamente três temores: o medo de perder o negócio, o medo do constrangimento e o medo de sentir-se inferior. É um catálogo completo das fontes de autoridade no mundo da consultoria: o lucro, o prestígio e a reputação de ser mais esperto que os demais. Embora Lencioni concorde que consultores precisam obter lucro, ser bem apreciados e trazer ideias raras à mesa de negociação, Jack, seu narrador fictício no livro, descobre que alcançar essas metas realmente exige colocá-las em risco — "desnudando-se" ao se expor à possibilidade de perdê-las todas. Jack aprende a fazer observações honestas, mas difíceis, sobre os negócios de seus clientes. E, talvez ainda mais difícil, também aprende a se dispor a fazer "perguntas idiotas" que revelam seus próprios limites e ignorância.

Nudez é uma coisa engraçada. De todas as criaturas no mundo, somente seres humanos podem ficar nus. Na idade adulta, todas as outras criaturas possuem naturalmente aquilo que lhes é necessário para proteção em seu habitat, seja pelos, escamas ou esconderijos. Nenhuma outra criatura — mesmo a toupeira pelada ou o felino sem pelos parceiro de Mike Myers como vilão da série de filmes *Austin Powers* — mostra algum sinal, em seu estado natural, de sentir-se incompleto tal como se sentem os seres humanos. Somente os seres humanos vivem toda sua vida com a capacidade de retornar ao estado que os deixa singularmente vulneráveis, não somente à natureza, mas também uns aos outros.

A verdade desconcertante é que, assim como seres humanos possuem mais autoridade que qualquer outra criatura, também temos mais vulnerabilidade que qualquer outra criatura. Não é o caso de somente nascermos nus: nascemos dependentes e expostos de todos os modos possíveis à perda. Por muito mais tempo que até mesmo espécies de primatas com quem temos algumas semelhanças, depois de nascer, dependemos de outros para nos alimentar, limpar e proteger. Por muitos anos permanecemos imaturos — incapazes de afirmar plenamente nossa autoridade de maneira competente no mundo. (Com a extensão da adolescência no mundo moderno, esse período continua aumentando. José e Maria presumivelmente fizeram sua viagem a Belém quando ela era ainda adolescente. Entretanto, você precisa ter pelo menos 21 anos de idade para alugar um carro de alguma locadora de veículos; também 20 é a idade limite para a cobertura do plano de saúde de seus pais na maioria das seguradoras. E a extensão de tempo em que alguém pode viver "de graça" na casa de seus pais depois de adulto também tem sido objeto de renegociação para mais!)

Essa, portanto, é a condição humana essencial: maior autoridade *e* maior vulnerabilidade do que qualquer outra criatura debaixo do céu. De fato, como mencionou Walter Brueggemann há muitos anos, a maneira pela qual o homem original em Gênesis 2 reconhece a mulher original como sua parceira adequada, após ver tantas outras criaturas que nunca seriam adequadas, é com um rompante de poesia: "Finalmente! [...] Esta é osso dos meus ossos, e carne da minha carne!" (Gn 2.23).[5] Ossos — duros, rígidos, fortes. Carne — tenra, maleável, vulnerável. Como portadores da imagem de Deus, somos osso e carne — força e fraqueza, autoridade e vulnerabilidade juntas.

O mesmo salmista que celebra o domínio humano sobre as criaturas também foi capaz de olhar para o céu e compreender o que ele quer dizer no sentido da significância ou insignificância de nossa pequena e transitória vida: "Quando olho para o céu e contemplo a obra de teus dedos, a lua e as estrelas que ali puseste, pergunto: Quem são os simples mortais, para que penses neles? Quem são os seres humanos, para que com eles te importes?" (Sl 8.3-4). Somente um ser humano poderá compreender o significado dessa cobertura de estrelas, da infinita vida do Criador antes e depois de nossas vidinhas — e, portanto, somente um ser humano poderá ser totalmente exposto a risco significativo.

Passei a acreditar que a imagem de Deus não é apenas evidente em nossa autoridade sobre a criação; ela também é evidenciada em nossa vulnerabilidade em meio à criação. O salmo 8 fala de autoridade e de vulnerabilidade com o mesmo fôlego, pois é isso que significa ser portador da imagem de Deus.

Quando o verdadeiro portador da imagem de Deus veio, a "imagem do Deus invisível" (Cl 1.15), ele veio com autoridade sem igual — com mais capacidade para ação significativa do que qualquer outra pessoa que já existiu. Todas as suas ações ocorreram dentro da história de Israel, a maior de todas as histórias compartilhadas, e suas ações mudaram de forma decisiva o rumo da história e criaram um futuro compartilhado, novo e diferente. Ainda assim, ele também nasceu nu e dependente, e portanto vulnerável como qualquer ser humano. E, ainda que a tradição artística do mundo ocidental tenha providenciado panos como cobertura para a desconfortável verdade da crucificação, ele morreu nu. Morreu exposto à possibilidade de perda, não apenas de sua vida humana, mas também de sua própria identidade como o Filho divino em quem o Pai tem grande alegria. Foi deitado na poeira da morte, expressão derradeira e completa da perda. E, em tudo isso, ele não era somente Verdadeiramente Homem, mas também Verdadeiramente Deus.

O que o amor deseja ser

Enquanto eu escrevia este capítulo, os fabricantes da linha de câmeras fotográficas GoPro lançaram seu último vídeo de sucesso "viral". Um helicóptero transporta o esquiador Cody Townsend até o alto de uma fenda quase vertical, e impossível de ser alcançada, situada entre dois paredões rochosos no cume coberto de neve de uma montanha. Graças à câmera colocada na cabeça do esquiador, nós o seguimos quando ele desce do precipício, lançando-se abaixo através de um estreito cânion, até sair a salvo e por um triz nas suaves colinas que estão embaixo da montanha.

Foi um momento aterrador. (Uma pessoa que compartilhou o vídeo *on-line* disse que, enquanto o via, "franziu cada orifício de seu corpo em comiseração pelo esquiador".) Foi, também, algo fascinante e empolgante.

O que torna esse vídeo de noventa segundos tão envolvente e compulsivamente compartilhável? É a combinação de autoridade e vulnerabilidade, ou seja, o completo domínio de Townsend do esporte do esqui, além de sua disposição de estender essa competência até o seu mais absoluto limite, a ponto de haver a real possibilidade de perda. Um vídeo que mostra autoridade sem vulnerabilidade pode até impressionar, mas se tornará, no fim das contas, algo monótono. Um vídeo que mostra a assunção de riscos de forma gratuita, sem a necessária autoridade, poderia provocar algumas risadas do gênero "videocassetadas", mas não provocaria uma reação de espanto, admiração e estupefação. Aquilo que realmente admiramos nos seres humanos não é a autoridade apenas ou a vulnerabilidade somente; buscamos as duas coisas juntas.

Quando a autoridade e a vulnerabilidade são combinadas, você encontrará o verdadeiro desenvolvimento. E não é apenas o desenvolvimento de pessoas dotadas ou afluentes, mas também de pessoas necessitadas e limitadas. Para que minha sobrinha Angela se desenvolva pessoalmente, outros terão de agir de forma significativa e colocar as próprias ações dela no contexto de uma história significativa. De fato, se a condição de Angela pudesse ser resolvida com um simples procedimento médico técnico, talvez tudo o que fosse necessário para restaurar sua saúde seria alguém com autoridade médica. Contudo, a condição dela é bem mais desafiadora do que isso — nunca será "resolvida". Assim, o desenvolvimento de Angela também depende de outras pessoas com disposição de colocarem algo significativo em risco: dos médicos projetando um tratamento médico

Aquilo que realmente admiramos nos seres humanos não é a autoridade apenas ou a vulnerabilidade somente; buscamos as duas coisas juntas.

incerto e difícil; dos cuidadores que carregam as dificuldades e as indignidades de cuidar de um corpo humano fragilizado; e, acima de todos, dos pais que optaram pelo amor sacrificial, dia a dia, diante de um futuro inteiramente incerto.

No fim das contas, é isso o que o amor deseja ser: capaz de realizar atos significativos na vida de quem é amado, tendo um compromisso tal com a pessoa amada que ponha em risco tudo que for significativo. Se quisermos o desenvolvimento pessoal, é isso que teremos de aprender a fazer.

Aquilo que temos de desaprender e evitar fazer são as nossas falhas de autoridade, vulnerabilidade ou ambos — e esse é o território que precisamos explorar agora.

3
Sofrimento

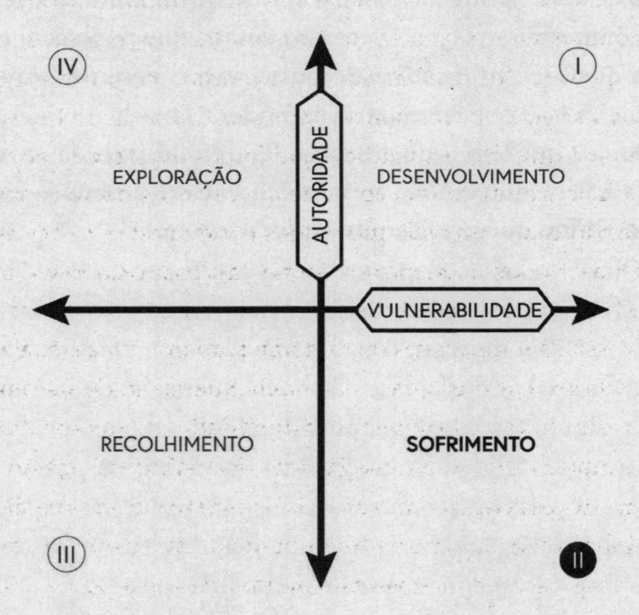

"Quando foi que o assunto 'justiça' se tornou importante para você?"

Gideon Strauss levantou essa questão para vinte e poucas pessoas entulhadas em nossa sala de estar numa noite de outono em Swarthmore, na Pensilvânia. Alguns de nós estávamos ali porque conhecíamos a extraordinária história pessoal de Gideon. Ele tinha crescido como um africâner, e se envolveu intensamente com a Comissão pela Verdade e Reconciliação no período pós-apartheid daquele país. Outros estavam interessados em seu trabalho com o Centro para Justiça Pública, uma inovadora equipe de pesquisa em Washington, D.C.

Desde minha filha de onze anos — empoleirada no colo da mãe por falta de cadeiras — até o casal de cabelos grisalhos de um bairro residencial nas proximidades, todos nós respondemos à pergunta de Gideon. Poucos minutos antes, você poderia ter confundido essa reunião com um elegante jantar festivo de profissionais bem-sucedidos de diversos segmentos. Entretanto, à medida que fomos avançando ao redor do círculo, como muitas vezes acontece, as respostas foram se tornando cada vez mais profundas e longas.

Quase todas as respostas à questão proposta por Gideon envolviam uma história de violência.

Nessa sala de estar, com cidadãos aparentemente seguros nos Estados Unidos, quase não havia quem não tivesse encontrado algum tipo de agressão à dignidade que tenha abalado seu mundo, ferido sua inocência e despertado a paixão pela justiça. A palavra *justiça*, potencialmente tão abstrata e distante, tinha se tornado de fato agudamente pessoal. Mas houve uma resposta que me tocou de modo mais pessoal.

Uma médica americana de origem asiática, de nome Abby, um pouco mais jovem que eu, tinha sido convidada por amigos comuns. Quando chegou a vez de responder à pergunta de Gideon, ela começou dizendo: "Quando eu era menina, minha família se mudou para um bairro de Boston, em Massachussets, chamado Needham".

Needham! Minha família também tinha se mudado para esse bairro quando eu tinha treze anos. Tornei-me adulto vivendo ali, e o bairro será sempre um lar para mim, embora meus pais tenham se mudado de lá há alguns anos. Abby era de meu bairro. Com esforço, eu me controlei para não demonstrar minha satisfação à medida que ela continuava sua história.

"Em Needham, havia uma mercearia chamada Pequeno Pêssego", continuou.

Sim, é verdade; ela ficava na rua da escola de ensino médio, bem defronte à igreja metodista na qual eu cheguei a uma fé viva. Meus amigos e eu fomos ao Pequeno Pêssego inúmeras vezes durante meus anos de ensino médio. Desfrutei uma agradável onda de nostalgia (e a memória do gosto característico de refrigerante sabor laranja) à medida que Abby prosseguia.

"Certo dia, meu pai precisou usar a máquina de xerox disponível na mercearia, e me levou com ele. Eu devia ter sete ou oito anos." Rapidamente, estimei os anos escolares — o que seriam meu primeiro ou segundo ano no ensino médio.

Ela continuou: "Meu pai nasceu na China e o inglês que falava era limitado. Ele teve dificuldade para compreender como a máquina funcionava, mas não conseguia explicar seu problema ao dono da mercearia. O dono ficou furioso com meu pai. Começou a caçoar dele por causa do sotaque chinês, então pegou os papéis que meu pai tinha nas mãos, rasgou-os e os jogou no chão. Depois, mandou que saíssemos de sua mercearia".

Abby fez uma pausa. "Sempre vi meu pai como uma pessoa forte, generosa e perspicaz. Nunca tinha visto meu pai ser humilhado daquele jeito, e na minha frente. Ele estava envergonhado, e eu também. Antes daquele dia, eu não sabia o que era o racismo e o que ele podia fazer a uma pessoa. Mas, depois daquele dia, eu sabia."

Vulnerabilidade sem autoridade

Eu nunca soube.

Por todos aqueles anos, meus amigos e eu, cheios da alegre energia da adolescência — todos "brancos" sem jamais refletir sobre isso por um momento sequer —, enchíamos aquela pequena mercearia, com nossos refrigerantes nas mãos. Para nós, o racismo era algo que tinha acontecido em tempos e lugares remotos, não diante de nós, não ao lado da máquina de xerox que usei uma dúzia de vezes, não no caixa do Pequeno Pêssego.

Da minha perspectiva, Needham era sempre um lugar que apontava para o desenvolvimento pessoal, pois foi ali que me tornei adulto, descobri talentos e habilidades, aprendi a orar e me apaixonei, recebi autoridade e descobri a vulnerabilidade. Para Abby, foi o lugar em que a violência do mundo irrompeu, onde seu próprio pai viu sua autoridade despedaçada e jogada no chão, sua identidade ridicularizada e sua fraqueza explorada. Foi o lugar de onde uma menina de oito anos começou uma caminhada que um dia a conduziria a uma roda de pessoas machucadas pela violência, buscando a justiça.

Naquela tarde na mercearia Pequeno Pêssego, Abby, a menina de oito anos, descobriu o que significa viver com vulnerabilidade e sem autoridade.

Naquela tarde na mercearia Pequeno Pêssego, Abby, a menina de oito anos, descobriu o que significa viver com vulnerabilidade e sem autoridade. Autoridade, que é a capacidade de realizar uma ação significativa, tem diversas fontes. Ela vem, por exemplo, da facilidade que alguém tem com uma língua.

Imigrantes, contudo, trocam sua língua nativa por outra que aprendem com dificuldade, e isso se de fato a aprenderem. Autoridade vem da obtenção da cidadania numa nação, e com todos os direitos que acompanham essa cidadania. No entanto, muitos imigrantes chegam ao novo país, no máximo, com apenas um visto temporário. Autoridade vem de ser membro de uma família estendida, do conhecimento profundo das pessoas e do lugar, o que é adquirido somente ao longo de várias gerações. Imigrantes, por sua vez, renunciam a tudo isso quando embarcam no navio ou no avião que os levará para longe de seu lar. Imigração é uma decisão tão drástica que poucos a tomam, exceto em casos em que a vulnerabilidade de permanecer em seu país, seja na área econômica, política ou cultural, é ainda maior que a vulnerabilidade de tentar fazer sua vida e de residir num novo lar.

Os pais da Abby tomaram essa decisão. E uma das coisas mais impressionantes a respeito dos Estados Unidos é o quanto de autoridade puderam receber, na forma de oportunidades econômicas e educacionais, antes de chegarem a Needham. Naquela tarde, porém, Abby foi brutalmente despertada a perceber todas as maneiras pelas quais seus pais estavam sujeitos a vulnerabilidades que ela não tinha visto anteriormente. Ela viu como a autoridade foi arrancada da mão de seu pai e pisoteada com rancor. Descobriu a realidade da vida do quadrante denominado Sofrimento.

A descoberta do sofrimento

É impossível viver uma parte considerável da vida sem passar algum tempo nesse canto do diagrama. O sofrimento pode ser resultado de injustiça ou do mal, mas alcança até as pessoas mais protegidas.

Meus amigos e eu em Needham conhecíamos muito pouco acerca dos piores males do mundo, mas o sofrimento ainda assim nos alcançou. Meu amigo Paul estava perdidamente apaixonado por uma menina chamada Janet. Certo dia, ele foi chamado por ela para conversar atrás de uma pilha de livros do primeiro ano do ensino médio na biblioteca; ela lhe disse que havia tentado o suicídio no fim de semana anterior e que estava rompendo com ele para que ele não tivesse de lidar com sua depressão. Eu nunca soube nada sobre isso até seis anos depois, quando o assunto surgiu numa conversa num dia de verão ao voltar da faculdade. Paul chorava de forma descontrolada como se isso tivesse acontecido no dia de ontem. Naquele mesmo verão, os pais de um de meus melhores amigos se divorciaram e, subitamente, revivi minhas memórias de sua casa durante o ensino médio. Percebi que, em todos aqueles anos, sua família tinha vivido com uma amargura tóxica, tão corrosiva quanto ácido, minando as esperanças e a confiança dos filhos.

Jamais me esquecerei de meu primeiro funeral para alguém de minha idade, na igreja defronte à mercearia Pequeno Pêssego. Matt treinava futebol americano com o time dos calouros quando notou que sua pele apresentava ferimentos incomuns que resultavam até dos choques mais leves com seus companheiros. Quatro meses depois, ele tinha morrido por causa da leucemia. Meus amigos e eu nos sentamos no meio da grande multidão reunida no saguão de entrada da igreja e vimos seus pais entrando para o culto fúnebre. No meio de sua dor, o pai de Matt olhou para mim como se fosse o homem mais forte do mundo carregando sobre os ombros o maior peso do mundo. Do nada, o sofrimento o havia encontrado, como também a nós.

Tudo isso aconteceu comigo, e ao meu redor, num dos lugares mais protegidos do mundo, num dos lugares mais ricos do planeta. (Mesmo muitos anos depois, as feridas são profundas o bastante para que eu troque os nomes e os detalhes identificados neste capítulo, em respeito à privacidade de meus amigos.) Seja qual for o lugar em que você atingir a maioridade, o sofrimento entrará na sua vida muito antes do que você imagina, quer na forma de riscos que você não consegue administrar, quer na forma da dor que você não pode evitar, como se estivesse num quarto sem janelas ou portas.

No fim das contas, o sofrimento — vulnerabilidade sem autoridade — é a última palavra de cada vida humana, não importa quão privilegiada ou poderosa. Terminaremos nossos dias, de um jeito ou de outro, em situação de vulnerabilidade radical a outras pessoas, apenas esperançosos de que elas honrarão nosso declínio e partida com cuidado e dignidade. A autoridade que armazenamos tão cuidadosamente para nós mesmos se evaporará lenta ou rapidamente, ao longo de décadas — ou durante um almoço.

Eric e Kate

Antes mesmo de conversar com Eric e Kate pela primeira vez, pude ter uma impressão básica de sua condição social e seu trabalho. Eric era uma pessoa atlética que usava um paletó com a camisa aberta no colarinho. Kate se vestia com um estilo aparentemente desleixado, mas que exigia grande cuidado. Não era difícil imaginá-la na trilha que acompanha o rio Charles em Boston, juntamente com outros corredores madrugadores (uma denominação mais apropriada à sua tribo de *joggers*, todos vestindo roupas esportivas de lycra). Ele trabalhava na área de finanças; ela, com publicidade. Os dois moravam num lugar chamado Beacon Hill, um bairro de Boston para jovens profissionais com bons empregos, bons amigos e boas perspectivas de vida.

Descobri que começaram a namorar pouco antes de Eric começar a frequentar uma igreja. Eric era bem efusivo em relação à sua fé recém-descoberta; Kate era mais reservada. Em contrapartida, era perceptível a abertura de Kate à possibilidade de que um Deus de amor a conhecesse e a estivesse buscando. Também era perceptível sua admiração pela abertura e generosidade que tinha descoberto entre os seguidores de Jesus.

No domingo de Páscoa, poucos meses após nosso encontro, Eric e Kate foram à igreja e, depois, acompanharam seus amigos a um restaurante para o almoço. No meio da refeição, a cabeça de Kate se curvou e, a seguir, todo seu corpo ficou flácido. Desacordada, Kate foi levada numa ambulância ao pronto atendimento do Hospital Geral de Massachussets. No fim daquela noite, quando recebi a mensagem angustiada que Eric enviou a alguns amigos cristãos, ela estava internada na UTI neurológica.

Na segunda-feira de manhã, e por todas as manhãs naquela semana, visitei Eric a fim de lhe dar meu apoio e orar com ele, enquanto o peito da Kate fazia os movimentos respiratórios impulsionados pelo ritmo mecânico do equipamento de suporte à vida. Seu rosto estava sem expressão alguma, pálido e suave como que num sono. O neurologista-chefe do hospital assumiu o caso e investiu muitas horas com a família e com os médicos de plantão, residentes e enfermeiras ao lado do leito de Kate. Por fim, chegaram a um diagnóstico: uma condição genética rara, e não detectada, fez de Kate alguém vulnerável por toda a vida a um gravíssimo derrame. Poderia ter acontecido anos antes ou muitos anos mais tarde. Na segunda-feira depois da Páscoa, ainda restava alguma esperança de que Kate se recuperasse, pelo menos parcialmente. À medida que os dias foram passando, essa esperança foi esvanecendo. Ela nunca mais abriria seus olhos. No fim de uma tarde, com a família ao seu redor, os médicos removeram o equipamento de suporte à vida de seu corpo e ela morreu.

Fui ao ofício fúnebre que aconteceu num dos subúrbios mais ricos de Boston — não muito diferente do meu próprio em Needham. Pessoas muito bem-vestidas chegavam para o enterro em seus carros do ano. Fui lembrado de como a elite da Nova Inglaterra valoriza seu controle: o controle sobre as estradas escorregadias no inverno, o controle das aparências, das emoções, dos relacionamentos. As colegas de quarto da Kate fizeram efusivas homenagens, procurando profundidade nas amizades que nasceram, em grande medida, de festas casuais e dos pequenos percalços da vida universitária. A fé que ela apenas começava a explorar estava distante do culto fúnebre esvaziado pela dor.

Ao lado da sepultura, fiquei surpreso ao ver o chefe da neurologia do hospital, um homem com, talvez, sessenta anos de idade. Ele cuidou da saúde de inúmeros pacientes, chegou ao topo de sua profissão em um dos mais prestigiados centros médicos do mundo, e no entanto estava ao lado da sepultura dessa jovem mulher, com seu rosto molhado de lágrimas. Ele parecia mais baixo do que me lembrava ao vê-lo no hospital. Ele abraçou Eric e disse: "Sinto muito mesmo não ter conseguido salvar a vida dela".

Os caminhos para o sofrimento

Dentre os quadrantes de nosso diagrama, o do Sofrimento é o que menos queremos visitar. No entanto, é aquele que, tenho certeza, cada leitor deste livro já experimentou. Você pode ou não já ter alguma vez experimentado o desenvolvimento pessoal que vem de simultaneamente sentir grande autoridade ou grande vulnerabilidade; pode ou não ter permanecido no recolhimento de não ter tido nem autoridade nem vulnerabilidade; e, quem sabe, pode não ter tido a oportunidade de experimentar a tentadora promessa da autoridade sem a vulnerabilidade. Mas, sem dúvida, você já experimentou a vulnerabilidade sem autoridade, o risco sem as opções.

Sofremos na sala de espera do hospital, sabendo que uma criança, um pai ou uma mãe, ou um amigo que foi recém-levado para a cirurgia levou junto consigo tudo aquilo que mais prezamos na vida. Também sabemos que nada podemos fazer, além de esperar fielmente e orar, no sentido de que aconteça o resultado aguardado.

Quando namoramos, sofremos ao receber uma das piores e mais covardes invenções da era moderna, uma mensagem de texto terminando o relacionamento. (*Isso sim* é vulnerabilidade sem autoridade!)

Também sofremos quando manifestamos nossas ambições. Depois de mandar nosso currículo para conseguir um emprego ou um lugar numa universidade, com toda a documentação que juntamos para comprovar nossa competência, temos de aguardar semanas ou meses por uma decisão que nunca chega.

De fato, às vezes o sofrimento é simplesmente a recompensa por arriscar o amor num mundo despedaçado. Esse foi o fardo de Eric junto à sepultura de Kate, mas foi também o fardo do chefe do departamento de neurologia daquele hospital, apesar de todo seu sucesso e habilidade profissional. Esse foi o fardo do viúvo ao fechar o caixão de sua esposa depois de quinze anos de casamento. Numa escala menor, e no entanto bem real, esse foi o fardo de meu amigo lamentando o término do namoro com Janet seis anos atrás.

Existe, porém, um outro caminho para o sofrimento, que nada tem a ver com os riscos que vêm do verdadeiro desenvolvimento pessoal. Esse outro caminho é o da injustiça — a violência espiritual e física cometida por aqueles que buscam autoridade sem vulnerabilidade. O pai de Abby nada fez para merecer o tratamento agressivo do proprietário da mercearia Pequeno Pêssego, mas o uso distorcido do poder arrogante deste ainda assim provocou prejuízo — um prejuízo, certamente, muito maior que a satisfação obtida em sua demonstração de superioridade. Num dia sombrio, sentei-me para conversar com meu amigo Jeremy, um dia depois que seu divórcio havia sido finalizado. Sua ex-mulher havia optado por terminar o casamento com suas demandas por crescimento e transparência. No longo prazo, é muito improvável que ela acabará mais feliz; entretanto, o estrago já está feito na vida do ex-casal e na vida da filhinha que ela deixou para trás.

O caminho mais doloroso do quadrante chamado Sofrimento é a escolha humana, desde as origens de nossa espécie, de explorar — ou seja, de buscar autoridade sem vulnerabilidade, o poder da devoção a Deus sem um caráter dedicado a Deus. Somos pessoas vulneráveis sem autoridade porque nossos primeiros pais desejaram autoridade sem vulnerabilidade, e porque seus filhos decaídos ainda buscam isso hoje.

Gerações de sofrimento

Qualquer experiência de vulnerabilidade sem autoridade é dolorosa. Mas os exemplos de sofrimento mais profundos e difíceis são os da esfera comunitária e os que abrangem diversas gerações. Eles envolvem pessoas que estão presas no sofrimento, comunidades inteiras com uma história compartilhada de dor e com a perspectiva de um futuro sombrio.

Não se trata somente de uma questão de privação financeira. Ainda que você seja uma pessoa materialmente pobre, se sua comunidade — sua família de origem, seu grupo étnico, sua nação — tiver autoridade em alguma medida, e puder resistir ao pior tipo de vulnerabilidade humana, você correrá um risco muito menor de ficar verdadeiramente pobre. Você está conectado com outras pessoas que poderão restaurar alguma medida de desenvolvimento em sua vida.

Por outro lado, ainda que você seja uma pessoa materialmente abastada, se a sua comunidade está enfrentando o sofrimento — se seus pais, seu povo e sua nação têm sido acossados, ao longo de gerações, pela falta de recursos por causa de tragédia ou injustiça — então você não estará livre da realidade impiedosa do sofrimento. E esse tipo de sofrimento é muito mais profundo, e muito mais sombrio, do que o sofrimento que todos nós experimentamos como indivíduos, porque simplesmente evitar o sofrimento como um indivíduo não muda os sistemas fundamentais de vulnerabilidade sem autoridade.

> Os exemplos de sofrimento mais profundos e difíceis são os da esfera comunitária e os que abrangem diversas gerações.

Sandra cresceu no Condado de Ventura, no sul da Califórnia. Ela se apresenta com um tipo de confiança que reflete o direito nato de quem vem de subúrbios seguros, ensolarados e infindáveis, uma confiança que a levou a ingressar numa universidade e numa carreira profissional. Ao encontrar-me com ela pela primeira vez, fiz uma porção de pressuposições — quase todas se mostraram equivocadas mais adiante.

Eu presumi que, assim como acontece com muitos jovens americanos, ela pudesse mapear o rumo da própria vida, escolhendo sua faculdade e sua carreira futura. Mas, de fato, cada uma dessas decisões é discutida e debatida e escolhida por sua família mais extensa.

Eu presumi que ela tivesse crescido sabendo que iria cursar uma faculdade. Na verdade, porém, ninguém da família de Sandra jamais havia cursado uma faculdade. Ao longo de sua infância, isso era apenas um sonho distante e nebuloso.

Eu presumi que os pais de Sandra trabalhassem duro por sua educação. Contudo, os pais de Sandra trabalharam duro por toda a vida, em diversos empregos cada um, mas não para guardar dinheiro, e sim para pagar pela manutenção das necessidades diárias básicas.

Eu presumi que ela tivesse crescido num lar amoroso e estável, algo parcialmente verdadeiro. A família de Sandra era generosa e calorosa. Entretanto, uma condição estável estava bem distante de sua realidade; embora Sandra tenha nascido nos Estados Unidos, seus pais tinham vindo de fora. Viveram de forma ilegal no país durante toda a vida de Sandra. No início de sua adolescência, ela compreendeu inteiramente a realidade, especialmente tendo de traduzir do espanhol, que é a única língua na qual seus pais se sentem à vontade, para o inglês, que ela fala como alguém nascido nos Estados Unidos, que é seu caso. Uma realidade que poderia se materializar a qualquer hora, a qualquer dia — esperando no semáforo, ou quando aparecesse um veículo branco do Departamento de Imigração perto dos lugares em que seus pais trabalhavam em seus empregos informais e ilegais. Sandra entendeu que, num instante, eles poderiam ser levados embora e mandados de volta ao país do qual tinham vindo antes de ela nascer.

A família de Sandra faz parte de uma vasta e complicada história, envolvendo a imigração ilegal para os Estados Unidos. É a história de pessoas corajosas e trabalhadoras que deixam sua terra natal, de poucas oportunidades e da perigosa violência que tinham de suportar, de pessoas que trabalham pesado nas fábricas e campos americanos. Durante os primeiros anos de ensino médio, Sandra começou um movimento para trazer à tona essas questões da vida desses residentes e trabalhadores que já estão há muito tempo nos Estados Unidos e que pagam seus impostos. Sandra e seus amigos faltaram às aulas para marchar pacificamente pelo centro de Los Angeles. Para eles, cidadãos nascidos neste país, o pior que poderia acontecer era passar uma noite na cadeia. Mas, para muitos dos imigrantes na marcha — seus tios, tias, pais e vizinhos —, manifestar-se a favor de um reconhecimento básico e por um tratamento justo poderia significar o último ato de suas vidas nos Estados Unidos.

À medida que Sandra conta sua história, você pode ainda vislumbrar a menina de treze anos amedrontada e perplexa que ela foi um dia. Ela descreve como desejava chegar aos dezoito anos, ao dia em que poderia solicitar um visto permanente para sua família. Sandra não consegue conter a emoção ao relatar a respeito do dia em que os vistos permanentes chegaram, dois anos depois. Ela já não vive com aquela vulnerabilidade radical de saber que seus pais poderiam ser deportados para um país que ela jamais havia visitado. Ou, quem sabe, ela vive ainda com essa vulnerabilidade todos os dias, uma vez que todos nós convivemos com as vulnerabilidades de nossa adolescência por muito tempo depois daqueles anos.

Cada um de nós é vizinho de comunidades que sofrem. E isso pode ser algo bastante real. A tranquila cidade onde eu vivo faz divisa com uma cidade pós-industrial que possui um dos índices mais elevados de homicídios em meu estado. Quase todos os leitores deste livro devem morar a uma hora de distância de algum lugar semelhante, que esteja afundado em vulnerabilidade e sem autoridade. Todos nós vivemos em algum lugar que está a uma distância pequena de exemplos ainda mais extremos de violência. Em nossos negócios e locais de trabalho, em nossos hospitais e universidades, e até mesmo nos lugares mais saudáveis, existem bolsões de persistente e incontrolável pobreza, quer material, quer espiritual.

Você pode até não concordar com essa conclusão. Pode dizer que não é assim em todos os locais de trabalho. O que dizer daqueles locais de trabalho "queridinhos" da mídia, as *startups* de redes sociais do começo do século nas quais cada empregado era um milionário, companhias com uma valorização estratosférica, com massagistas e cardápio vegano na cozinha sempre à disposição, firmas cheias de autoridade e de risco calculado?

No entanto, essas firmas também são vizinhas e estão conectadas a um ecossistema econômico que produz sofrimento para comunidades inteiras. Em outubro de 2014, a revista *Wired* publicou uma reportagem acerca do trabalho sujo que toda mídia social tem de fazer de alguma forma.[1] Isso inclui: administrar um verdadeiro dilúvio de conteúdo abusivo e degradante postado em quantidades imensas ao redor do mundo, e a cada hora, por pessoas grosseiras (e, cada vez mais, por robôs). Não se trata simplesmente de material que pode ofender suscetibilidades delicadas ou puritanas, mas representações inimagináveis de violência real e ficcional, de abuso de mulheres e homens, de crianças e animais, e de incontáveis horrores engendrados pela mente humana.

Alguém precisa impedir que o usuário comum encontre esses horrores ou, então, nossas fontes de notícias estarão infiltradas por imagens e textos de causar ânsia de vômito. Contudo, isso significa que um ser humano terá de revisar cada imagem degradante. E esse ser humano é, geralmente, uma pessoa que reside num país distante, empregado por uma empresa provedora de serviços — no período em que o artigo da *Wired* foi publicado, esse país era as Filipinas, graças a sua oferta de mão de obra barata e sua ligação próxima à cultura ocidental. Jovens adultos das Filipinas fazem esse trabalho por não haver emprego melhor, e o fazem até serem completamente devastados por ele.

Essa é a realidade do mundo globalizado da internet. Neste mundo, as selvagerias de alguns, os pornográficos e abusadores que buscam o poder sem a vulnerabilidade (Exploração), são impostas naqueles sem alternativa (Sofrimento), a fim de permitir que os privilegiados vivam num conforto ignorante (Recolhimento). É um mundo em que a pobreza de espírito é comprada com o salário de miseráveis. O desenvolvimento de algumas poucas empresas — e daqueles que usam seus serviços — é uma miragem trazida à realidade somente quando desviamos nosso olhar da vulnerabilidade que elas repassam a outros.

A construção da autoridade

A existência e persistência do quadrante do Sofrimento é o verdadeiro teste do poder — um teste no qual todos nós que temos poder falhamos. As consequências de nosso fracasso em representar inteiramente a imagem divina incide principalmente sobre aqueles que vivem nesse quadrante e que não têm perspectivas de escapar dele — os indivíduos e as comunidades que existem num estado de vulnerabilidade contínua.

Para deixar as coisas ainda mais difíceis, algumas tentativas bem-intencionadas de intervenção em situações de sofrimento podem, de fato, aumentar a vulnerabilidade e colocar em risco a autoridade. É isso que Gary Haugen e Victor Boutros propõem em seu persuasivo livro *The Locust Effect* [O efeito gafanhoto]. Eles constataram que cinquenta anos de investimentos financeiros no mundo materialmente pobre trouxeram surpreendentemente pouquíssimo resultado. Sozinha, a aplicação de recursos materiais num sistema de exploração — ou seja, tratar os sintomas do Sofrimento sem focalizar a doença da Exploração e do Recolhimento — no fim das contas apenas aumenta a vulnerabilidade dos pobres. Até mesmo numa escala menor, se uma família recebe, de um programa de desenvolvimento bem-intencionado, uns poucos animais para sua fazenda, isso poderá despertar o olhar de pessoas famintas dispostas a recorrer à violência. Numa escala maior, fundos globais de investimentos, que chegam a centenas de milhões de dólares, tornam-se incentivos poderosos para a corrupção nas camadas mais elevadas dos governos.

Muito frequentemente, nossos esforços de intervenção em situações de sofrimento acabam unicamente reforçando a pobreza. Esses esforços quase nunca são o suficiente para reduzir a vulnerabilidade — embora seja isso que a maioria de nós procure fazer em nossa vida. Precisamos, também, restaurar a autoridade em si para indivíduos e para comunidades como um todo. Não há nada de errado em tentar reduzir o risco sem sentido na vida de pessoas — sua vulnerabilidade à fome e à doença. No entanto, as melhores intervenções em situações de pobreza persistente também aumentam a autoridade das pessoas.

Como será possível retirar as pessoas do quadrante chamado Sofrimento e levá-las à autoridade para a qual foram criadas? A única resposta sustentável é *ajudá-las a construir uma autoridade duradoura.* Em 2007, tive a oportunidade de visitar um distrito na Índia onde o trabalho como forma de pagamento de dívida — o equivalente moderno da escravidão infantil — era endêmico.[2] Contudo, com a ajuda da organização cristã humanitária Visão Mundial, essas pequenas comunidades materialmente pobres começaram a experimentar uma mudança extraordinária. Naquela situação, umas poucas intervenções da Visão Mundial estavam concentradas em trazer o alívio imediato da vulnerabilidade: programas que fornecem alimentação básica, água potável e abrigo. A maior parte das intervenções, porém, focalizou o aumento significativo da autoridade: programas de poupança para mulheres (poupança financeira, especialmente em comunidades de extrema pobreza, são uma fonte importante de ação significativa); treinamento e apoio para a aplicação da lei em nível local (incentivando o tipo de autoridade legítima que consiga restringir a ação exploradora de agiotas); e, o mais digno de nota para mim, o "*panchayat* das crianças", um conselho do vilarejo somente para crianças onde pudessem exercitar responsabilidade por sua comunidade, que será a comunidade delas quando forem maiores de idade.

O que encontrei naquela comunidade é o que pode ser encontrado em tantas comunidades marcadas pelo sofrimento: quando o evangelho começa a transformar indivíduos e comunidades, não é simplesmente o alívio das necessidades mais imediatas que ocorre. De fato, muitas dessas necessidades podem permanecer sem provisão em qualquer sentido material. Ainda assim, o evangelho restaura a esperança e a dignidade, a ação e o risco significativos. A certa distância, você até poderia supor que a injustiça sistêmica e a vulnerabilidade ao longo de gerações não deixariam nada além de um rastro de miséria. Mas, quando você se aproxima, até mesmo do maior dos sofrimentos, encontrará pessoas de extraordinária resiliência e poder espiritual. Para mim, uma dessas pessoas tem o nome de Isabel.

De repente, um caminho

Cada sessão da conferência sobre fé e trabalho no fim de semana, que acontecia numa forte igreja em crescimento na cidade de Santa Barbara, na Califórnia, devia começar com uma entrevista conduzida pelo pastor Kyle, que acolheu o evento em sua igreja, e um membro da congregação falando sobre seu trabalho. Exatamente a primeira história que ouvimos foi a que ficou marcada em minha memória daquele fim de semana.

Isabel, elegante e vestida de maneira impecável, acompanhou o pastor Kyle na plataforma. Ela fez um breve resumo de sua história num inglês fluente, com sotaque espanhol. Ela nasceu em Viña del Mar, no Chile, onde foi educada e credenciada como conselheira de família. Poucos anos antes dessa entrevista, ela havia migrado para os Estados Unidos com seu marido americano, e esperava o nascimento do primeiro filho. Eles se estabeleceram em Santa Barbara a fim de estar perto de membros da família. Isabel descobriu que suas credenciais profissionais chilenas não eram reconhecidas nos Estados Unidos, e seu marido tinha dificuldades para encontrar emprego. Ainda assim, Isabel disse com gratidão, finalmente ela havia conseguido encontrar um trabalho em tempo integral.

"E qual é esse trabalho?", perguntou o pastor Kyle.

"Eu limpo casas", respondeu Isabel. As colinas de Santa Barbara estão repletas de casas espaçosas, e quase todas empregam mulheres hispânicas como faxineiras. Esse era o trabalho que Isabel encontrou — e do qual podia falar em termos teológicos.

"Como você vê seu trabalho refletir a obra de Deus?", perguntou o pastor Kyle.

"Se você olhar para o livro de Gênesis, no princípio o mundo estava na escuridão", disse Isabel. "Não existia ordem. Deus é um Deus de ordem — ele coloca em ordem cada vida em particular; transforma cada vida da escuridão para a luz em Jesus. E essa é a minha motivação ao trabalhar. Faço tudo a partir de Deus e não do ser humano. Jesus lavou os pés dos discípulos, e nós devemos fazer a mesma coisa: ser servos com amor. Se estou limpando um banheiro — bem, isso é algo que precisa ser feito a fim de trazer ordem ao mundo e lavar os pés de outras pessoas. Não há nisso nenhuma tristeza; é uma alegria fazer esse trabalho. O maior exemplo de serviço em minha vida é o Espírito Santo, porque ele me guia. Eu ouço a sua voz e digo: 'Sim, Senhor'."

Em poucas sentenças, Isabel nos deu uma visão trinitária do trabalho de faxineira.

Para que fique claro e você entenda a importância da transcrição, quase palavra por palavra, desse diálogo: em poucas sentenças, Isabel nos deu uma visão trinitária do trabalho de faxineira.

"Você encontra pessoas com problemas no trabalho que você faz?", perguntou o pastor.

"Sim, é claro", respondeu Isabel. "É triste ver pessoas que têm tudo do bom e do melhor, tudo perfeito. Eles nos contratam para que o mundo delas continue perfeito e limpo. Mas a gente percebe que a vida deles é vazia. Assim, a gente precisa ser uma luz para essas pessoas. Em cada casa em que vou trabalhar, eu oro por aquela família, para que encontrem a Jesus. Se ele me usar para isso, amém. Se não, amém — ele enviará alguma outra pessoa."

Quando Isabel não está trabalhando ou cuidando de sua própria família, ela trabalha como voluntária com um centro chamado Esperança do Imigrante, que serve outras mulheres da América Latina, a maioria das quais também trabalha fazendo limpeza. Isabel ensina em cursos de preparação para os exames visando a obtenção da carteira de motorista e para os exames visando a obtenção da cidadania nos Estados Unidos. Ela me disse: "O Senhor Jesus me ensina que todos nós somos imigrantes, e que o nosso verdadeiro lar está com ele. Portanto, devemos mostrar aos outros o seu amor e misericórdia, e o quanto ele ama aqueles cuja vida está mal. Ao nos concentrarmos em necessidades práticas, mostramos a essas pessoas o Deus que renova todas as coisas."

Liguei para Isabel a fim de pedir sua permissão para fazer uma citação daquela entrevista neste livro. Ela me pediu um tempo para orar a respeito disso e conversar ao telefone alguns dias mais tarde. Na verdade, Isabel não havia orado primariamente sobre a questão de dar ou não permissão de colocar sua história neste livro. Ao que parece, Deus já tinha dado a ela a reposta para isso bem rapidamente, e estava tudo bem quanto a essa questão. Em vez disso, ela havia orado por mim nominalmente, e Deus lhe deu palavras específicas para que ela falasse a mim. Eram instruções específicas para a minha vida de oração e uma série de versículos, para me orientar, de 1Pedro no Novo Testamento. Isso está impresso numa folha de papel em minha mesa enquanto escrevo o livro.

Isabel possui autoridade — algo que as pessoas descobrem quando se encontram com ela. Ela fala e age de modo significativo em cada coisa que faz. Sua autoridade não deriva primeiramente de suas circunstâncias, pois estas refletem a mesma vulnerabilidade de inúmeros imigrantes. Os dons mais profundos dessas pessoas são frequentemente negligenciados e não usados, ao servirem em empregos que poucos americanos escolheriam, e menos ainda o fariam com alegria. Há tanto na vida e na história de Isabel, quer nas coisas ditas, quer nas não ditas por entre as linhas de seu testemunho, coisas que falam da vulnerabilidade sem autoridade que chega a tantas pessoas num mundo desconjuntado.

Sua história, contudo, foi transformada por uma outra história — as ações em sua vida se tornaram significativas ao serem tomadas dentro da história do evangelho. Ela saiu do quadrante II e foi para o quadrante I, do Sofrimento para o Desenvolvimento, e ela está trazendo outros junto com ela.

Isso também poderá ser verdadeiro para nós. Ninguém é capaz de escapar desse quadrante da experiência humana. Como veremos nos capítulos finais deste livro, nós de fato seremos chamados a procurar o sofrimento, a entrar em suas profundezas, se verdadeiramente quisermos trazer desenvolvimento para o mundo. Contudo, quando peregrinamos para o interior do sofrimento, seja por circunstâncias ou por escolha, estaremos apenas indo aonde um Outro já foi antes de nós. Quando encontramos nosso lugar nessa história e nessa peregrinação, nossa vulnerabilidade também se torna um caminho para o desenvolvimento pessoal.

4

Recolhimento

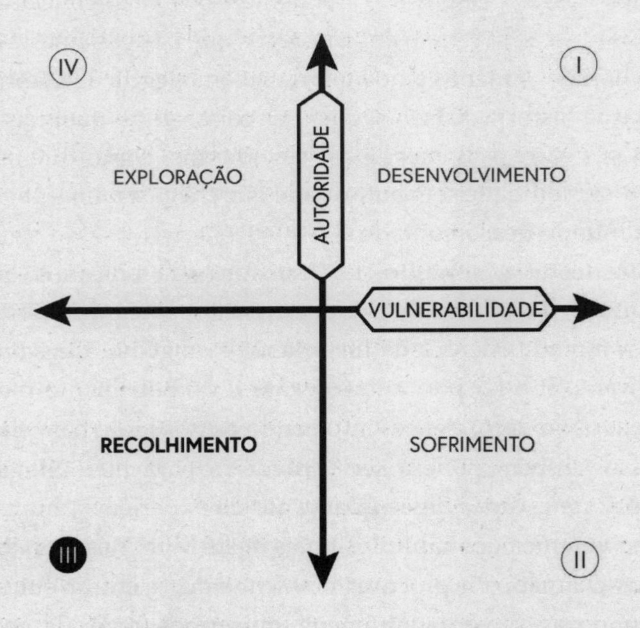

Quando me tornei pai pela primeira vez, descobri exatamente o que o Evangelho de Lucas quer dizer quando usa a expressão "envolveu-o [Jesus] em faixas de pano" (Lc 2.7). A coisa da qual meu filho recém-nascido mais gostava era ser levado no colo depois de enrolado numa cobertinha com braços e pernas bem agasalhados. Se não fosse enrolado dessa maneira, ele se agitava e se contorcia; mas, propriamente envolvido pela cobertinha, ficava calmo e alerta, pronto para enfrentar o mundo ao seu redor sem ansiedade. Os panos ou a cobertinha que o envolviam também lhe ofereciam tranquilidade. É digno de nota que o Salvador do mundo também foi envolto em panos quando bebê — protegido tanto de ação como de risco.

É claro que, depois de algumas semanas, meu filho já não precisava nem desejava ser enrolado na cobertinha. (E não são todos os bebês que tomam gosto pela cobertinha, como sua irmã deixou muito claro, quando nasceu alguns anos mais tarde.) Mas, nos primeiros anos de sua vida, meu desejo mais profundo como pai era de proteger meu filho, tanto de autoridade ou de vulnerabilidade em demasia. Tirávamos de seu alcance objetos que o atraíam, mas que eram frágeis; corríamos a fim de tomá-lo no colo quando ele se afastava para mais longe na calçada ou no parquinho; fazíamos uma verificação minuciosa de todas as fontes de risco em cada cômodo da casa. Uma infância saudável é aquela em que tanto a capacidade para ação como a exposição a risco significativo são equilibrados em doses adequadas, que aumentam gradativamente à medida que a criança cresce.

Assim, se o quadrante do Sofrimento é aquele que nenhum de nós é capaz de evitar, o quadrante do Recolhimento é onde todos nós iniciamos — e, no começo, ele era chamado de Segurança.

Estávamos sem nenhuma autoridade ou vulnerabilidade — ou, pelo menos, nenhuma consciência delas. Antes de nascer, não tínhamos capacidade alguma para qualquer ação significativa, e nos encontrávamos numa felicidade inconsciente em relação ao sentido do risco. Ainda não tínhamos descoberto o mundo com sua história, futuro, possibilidades e perigos. Ainda bem, pois ainda não estávamos formados nem preparados para ele. Se, nos estágios mais tenros da vida humana, tivéssemos sido expostos tanto à autoridade como à vulnerabilidade, não estaríamos vivos hoje.

Mas essa segurança é fugaz. Muitas vidas infantis são comprometidas pela exposição precoce à muita vulnerabilidade e à muita autoridade. Hoje mesmo, há crianças garimpando em meio a pilhas fumegantes de lixo nos portos da África e da Ásia. É nesses continentes que nosso lixo eletrônico é descartado para ser reciclado. Essas crianças conseguem pequenas somas em dinheiro a fim de sustentar a família, enquanto expõem seus pulmões à fumaça tóxica e suas mãos e pés a metal e vidro cortantes. Outras crianças recebem armas letais e são treinadas para matar antes mesmo de desenvolverem os filtros morais da vida adulta, enquanto outras ainda são expostas às paixões degradantes de homens desesperados. São poucos os pais que desejariam esse tipo de curso intensivo sobre a crueldade do mundo para seus filhos, e no entanto são muitos os pais que vivem profundamente eles mesmos no quadrante denominado Sofrimento. Não existe vulnerabilidade mais profunda, nenhuma ausência de autoridade mais desoladora que a incapacidade de proteger o próprio filho do mal. Milhões de pais neste planeta sabem muito bem o que é essa realidade.

Certa noite, enquanto colocava minha filha em sua cama, em segurança sob seu cobertor favorito, tendo recebido beijos e abraços, depois de orar com ela por sua proteção durante o sono, de repente tive a sensação inegável da voz de um Outro me respondendo. Essa voz parecia dizer, de maneira bondosa mas severa: "Eu ouço suas orações". E complementou: "Mas eu também ouço todas as noites as orações de pais que não podem oferecer segurança a seus filhos". Não era uma repreensão; era um convite para compreender exatamente quanta angústia é trazida diante do "Pai, do qual recebe o nome toda a família nos céus e na terra" (Ef 3.15, NVI). E, talvez, isso tenha sido um lembrete de que existe um outro jeito de errar com os filhos: dar a eles demasiada proteção.

A única coisa que o dinheiro pode comprar

Ao longo de quase toda a história, as orações noturnas dos pais pela proteção de seus filhos foram oferecidas diante de vulnerabilidade urgente e inevitável. Foi somente em décadas recentes, nos recantos mais privilegiados do mundo, que crianças têm sido colocada na cama com uma segurança tão grande como a que meus filhos conhecem. É possível que os pais sempre foram tentados a aninhar seus filhos por tempo demasiado, protegendo-os do mundo o quanto pudessem. Mas foi apenas mais recentemente que pudemos realmente alcançar sucesso.

Temos um ditado em nossa família: *A única coisa que o dinheiro pode comprar é uma bolha de proteção*. A afluência financeira é incapaz de remover de forma definitiva a vulnerabilidade de nossa condição humana e nosso verdadeiro chamado. Contudo, ela pode nos envolver numa série de camadas de proteção fazendo com que nunca sintamos essas coisas. Pode fazer com que estejamos envolvidos por essa bolha para muito além de nossa juventude, até uma vida adulta que entende o evadir do risco como um direito assegurado.

A única coisa que o dinheiro pode comprar é uma bolha de proteção.

Se você se acomodar neste canto, até mesmo suas ambições serão cuidadosamente circunscritas, seguindo o caminho bem demarcado em direção à boa compensação e à respeitabilidade social. O caminho ascendente para uma educação nas melhores universidades pode ser uma competição feroz. Um amigo que trabalha no departamento de admissão de uma faculdade brinca que os "pais-helicópteros" foram agora substituídos pelos "pais-escavadeiras", os que limpam o caminho de seus filhos de todos os obstáculos, e pelos "pais-drones", que flutuam invisíveis sobre eles e mergulham com força avassaladora quando suas crias correm algum perigo. A competição é tão feroz precisamente porque o prêmio é tão previsível: um ingresso dourado para uma carreira cujos caminhos já estão inteiramente determinados no sentido de maximizar a recompensa e minimizar o risco. Se você olha a vida por essa perspectiva, então não existe nada mais garantido que o *campus* da Universidade Harvard. Mas, se você tem como objetivo o desenvolvimento pessoal, não existe nada mais perigoso.

O grande desafio do sucesso é a liberdade que ele dá de desistir do risco verdadeiro e da autoridade verdadeira. Empresários que recebem autoridade considerável diante do risco real, e têm a sorte de ser recompensados por essa aventura no quadrante do Desenvolvimento, podem recolher seu prêmio e abandonar o jogo. Transformam os frutos de seu sucesso em um acúmulo tão grande de riqueza que conseguem retrair-se totalmente dos riscos — e da autoridade. Quanto mais você souber, ou perceber, que seu sucesso foi produto tanto da sorte e do momento certo quanto da habilidade e do caráter, menor será a possibilidade de arriscar o mesmo tanto mais alguma vez.

O eterno cruzeiro marítimo

Sim, precisamos começar com a Segurança a fim de alcançar o Desenvolvimento, mas apegar-se a ela na idade adulta é tolice. Quando penso a respeito desse quadrante, e o estranho encanto que ele mantém em nós na vida adulta, recordo uma das fantasias de férias das pessoas no mundo ocidental moderno: fazer um cruzeiro. Não se trata de uma *travessia*, como, por exemplo, da épica viagem do Velho Mundo para o Novo através do Atlântico que alguns de meus antepassados fizeram, uma viagem sem volta com destino definido e com algo bem diferente e difícil esperando por eles do outro lado. Nem mesmo do tipo de cruzeiros, como aqueles que chegam às geleiras do Alasca ou aos fiordes da Noruega, que permitem que você se aproxime das maravilhas naturais que seriam impossíveis de apreciar de qualquer outra maneira. Do tipo que deixa você maravilhado, humilhado, diminuído e cheio de louvor. Penso, de fato, nos cruzeiros que não têm um destino fixo, que circulam pelos portos mais acessíveis aos turistas das ilhas tropicais, cruzeiros que têm em estar no próprio navio o seu desejo real e o seu maior prazer.

Como o leitor já deve ter percebido, mantenho-me firme com a parte da humanidade que não realiza cruzeiros. Estou no lado daqueles que riem com o texto épico, escrito por David Foster Wallace, sobre um cruzeiro assim cujo título é "Uma coisa supostamente divertida que eu nunca mais vou fazer", e sou dos que esperam nunca fazer isso nenhuma vez sequer. Entretanto, posso compreender a razão de pessoas amigas imaginarem que fazer um cruzeiro representa férias maravilhosas: dias e noites preguiçosos, bufês abarrotados de guloseimas e completo distanciamento da vida terrena. Afinal, um cruzeiro representa o retorno mais

> Sim, precisamos começar com a Segurança a fim de alcançar o Desenvolvimento, mas apegar-se a ela na idade adulta é tolice.

puro que se poderia desejar ao quadrante III (Recolhimento) da infância. A comida é farta, as demandas de tempo são mínimas e o sol é brilhante. Num cruzeiro, você não possui absolutamente nenhuma autoridade e, em todos os sentidos práticos, também nenhuma vulnerabilidade. Mesmo que o capitão o convide a visitar a sala de comando do navio, você seria imediatamente contido se tentasse se apropriar do leme do navio. (Deixaremos de lado as vezes em que cruzeiros dão completamente errado; quando os motores do navio quebram, o navio começa a girar sobre o próprio eixo sem sair do lugar, e os passageiros usam seus corpos para escrever no deque do navio um SOS desesperado. Também não iremos nos aprofundar nos surpreendentemente frequentes cruzeiros em que algum vírus coloniza a cozinha e metade da tripulação e dos passageiros fica doente, ou aqueles em que o movimento constante do navio deixa a pessoa acamada por dias a fio. Como você pode ver, não sou um entusiasta por cruzeiros marítimos.)

Tudo isso é muito bom como férias. É agradável por alguns dias ou, quem sabe, até por uma semana.

Mas e se toda sua vida fosse um cruzeiro? Em todos os dias de sua vida, outros decidindo aonde você vai, qual o cardápio do jantar, antecipando suas necessidades e protegendo-o de todo perigo real? Tal situação seria menos que humana; de fato, seria muito mais semelhante ao inferno. O magnífico filme da Pixar *WALL-E* retrata um cruzeiro assim em que tudo acaba mal, situado num futuro não muito distante no qual toda a humanidade foge da destruição que sua própria ganância criou. Os primeiros passageiros foram informados daquilo que seria uma breve excursão. Em vez disso, porém, a viagem continua por séculos sem nenhuma esperança de retorno.

E cada geração se torna cada vez menos capaz e mais dependente dos robôs que assumem o chamado de seus criadores.

Como todos os filmes da Pixar, o tema de *WALL-E* é o que significa ser inteiramente humano. Com sua curiosidade insaciável, seu prazer tanto em ordem como em abundância, e sua disposição de se apaixonar por uma bela e letal robô, bem mais avançada que ele, o pequeno robô coletor de lixo é a verdadeira personagem em desenvolvimento no meio do lixo da Terra e da decadência da nave espacial *Axiom*.

No entanto, apesar do charme de *WALL-E*, no fim das contas ele é somente um coadjuvante. Quando surge o capitão da nave, que foi reduzido a uma bola de gordura devido à inatividade no quadrante da Segurança e do Recolhimento, o verdadeiro conflito se expõe. O capitão representa todos nós seres humanos em toda a nossa incapacidade infantilizada. Seu despertamento aos prazeres de uma quase esquecida Terra e o chamado do serviço — e sua decisão de retirar o comando da nave do piloto automático — é o ponto alto cômico do filme (jocosamente acompanhado pelos acordes de *Assim falou Zaratrusta*). Nós torcemos pelo capitão porque ele reivindica sua autoridade e abraça o risco significativo, deixando o Recolhimento com a esperança de retornar ao Desenvolvimento pessoal.

Não fomos feitos para sermos eternos passageiros de um cruzeiro. Fomos feitos para muito mais do que diversão. Isso é verdadeiro para o nosso próprio bem, mas também é verdadeiro porque, assim como a humanidade diminuída a bordo do *Axiom*, somos responsáveis por um mundo que saiu do eixo. A razão mais profunda para o chamado para sair do Recolhimento não é a nossa própria saúde, embora esse quadrante não seja um lugar muito saudável ou satisfatório para se viver.

Tem muito mais a ver com as pessoas à nossa volta e a ordem criada que negligenciamos, que não têm nenhuma opção de embarcar num cruzeiro que se afasta da vulnerabilidade, que vivem, em alguns casos bem literalmente, no meio do lixo que nossa afluência descartou. Não se importar com as profundas necessidades daqueles que são pegos no sofrimento é o mesmo que rejeitar o chamado de carregar a imagem de Deus. Todos nós começamos debaixo da proteção do paraíso, mas tentar fazer dessa segurança o nosso estado final irá, de fato, nos relegar ao inferno.

> Não fomos feitos para sermos eternos passageiros de um cruzeiro. Fomos feitos para muito mais do que diversão.

Autoridade dissimulada

Existe, porém, uma versão mais sutil de recolhimento do que simplesmente férias num cruzeiro. A maioria de nós, na verdade, ficaria completamente entediada depois de algumas semanas de férias perpétuas. Nossa sede por desenvolvimento pessoal é forte demais para que abandonemos inteiramente o chamado à autoridade e à vulnerabilidade. Entretanto, a cultura tecnológica guarda em sua manga um outro truque mais forte: não se trata de desengajamento total, mas de enérgicos e propícios engajamentos *dissimulados*. A tentação real para muitos de nós não é a completa apatia, mas atividades que simulam ação significativa e risco significativo sem, na realidade, exigir muito de nós ou transformar muito em nós.

Assim, se você realmente quiser ver como o recolhimento se parece no ocidente rico e tecnológico, não precisa visitar os portos do itinerário de um cruzeiro. Precisará somente ligar o Playstation na sua sala de estar.

Da mesma forma que cruzeiros e outros tipos de férias, os *video games* têm função importante numa vida saudável. Para as crianças, são o modo mais simples de praticar a autoridade e a vulnerabilidade que serão seu chamado na vida adulta. Para os adultos, a simplicidade e as regras baseadas em recompensas dos *video games* são uma distração bem-vinda das demandas infindáveis e complicadas da vida madura.

Contudo, da mesma forma que um cruzeiro poderá se tornar um inferno, quando os *video games* se tornam nossa vida diária, especialmente os que são mais tecnologicamente desenvolvidos, eles se tornam um lugar perigoso para se viver. São poucos de nós que podem pagar por um cruzeiro perpétuo. Mas podemos comprar *video games*, e seus preços são dos mais atraentes entre os itens de consumo particular. Teríamos de reajustar toda a nossa vida a fim de passar o restante de nossos anos a bordo de navios de cruzeiro. Os *video games*, porém, residem alegremente no centro de nossos lares. A maioria de nós ficaria inquieta depois de alguns dias a bordo de um navio. Os *video games* são uma versão muito mais satisfatória de recolhimento, isso porque, enquanto você se ocupa com eles, se sente totalmente convencido de que está se desenvolvendo.

Se você realmente quiser ver como o recolhimento se parece no ocidente rico e tecnológico, precisará somente ligar o Playstation na sua sala de estar.

Qualquer tipo de jogo confere autoridade. Mas jogos virtuais (e grande parte da recreação que acontece numa tela) conferem autoridade mais rápida e plenamente do que qualquer jogo no mundo real. Ser um *quarterback* no jogo improvisado de futebol americano, no quintal de meu vizinho, requer que eu demonstre algum nível de domínio do jogo de futebol americano a outros seres humanos. Até mesmo ser um *quarterback* de jogo de quintal está muito além do alcance de meus braços franzinos, mas ser um *quarterback* na liga profissional exige habilidades e disciplina quase sobre-humanas.

Tornar-se um *quarterback* profissional no *video game Madden Football*, porém, requer somente a escolha de um ícone de identidade e o pressionar de um botão. De repente, você recebe toda a autoridade e muita da habilidade de seu jogador celebridade escolhido. É claro que existe uma curva de aprendizado no *Madden Football* — se não existisse, o *game* logo se tornaria repetitivo e chato. A sua personagem na tela errará passes, será desarmada por um jogador adversário e tomará decisões equivocadas. No entanto, com um pouco de dedicação, quase todo mundo se tornará um bom *quarterback* no *Madden Football*. A curva de aprendizado é bem menor no jogo virtual do que no jogo de verdade — se não fosse assim, para a maioria dos fãs, não valeria a pena jogar.

O *game* também fornece uma experiência de vulnerabilidade — a exposição a risco significativo. No entanto, muito mais do que a autoridade simulada que você ganha com o auxílio da tecnologia, essa vulnerabilidade é, de fato, uma miragem. Se você jogar o *Madden Football* por um período considerável, irá adquirir certos tipos de habilidades, ainda que sejam superficiais: ganhará um pouco de autoridade real na compreensão e no jogo em si do futebol americano. Todavia, não importa o quanto você jogue, nunca terá uma concussão e jamais será barrado do time. Jamais perderá nada de valor no "mundo real" a não ser o próprio jogo. (Claro que isso exclui quaisquer que sejam as habilidades que tenha desenvolvido durante o período que empregou para se tornar um especialista no *Madden Football*.) A autoridade pode ser amplamente simulada, mas a vulnerabilidade é inteiramente uma ilusão.

Esse é o fascínio dos *video games*, a razão de atraírem as pessoas mais do que a televisão com sua abordagem unilateral, e de se tornarem uma indústria maior que a dos filmes com apenas algumas décadas de existência.[1] (A indústria de *video games* movimentou US$93 bilhões em 2013, enquanto a indústria cinematográfica movimentou US$88 bilhões.) Os *video games* nos dão simulações acessíveis da vida de desenvolvimento pessoal, a vida que todos desejamos — a vida de ação e risco, a vida de aventura e conquista, e até mesmo (em alguns *games*) a vida de romance e de satisfação comunitária.

No entanto, isso tudo é simulação. Há uma grande assimetria entre as habilidades desenvolvidas no mundo do espaço, tempo e corpos de carne e sangue, e as habilidades obtidas no mundo virtual das telas e dos controles remotos. As habilidades do mundo real se traduzem bem, de modo geral, para o mundo virtual. Se você possui talento no jogo real de futebol americano, com toda probabilidade será um bom jogador no *video game Madden Football*. Se for um piloto de carros de corrida de sucesso, provavelmente dominará rapidamente o *game Forza Horizon*. Contudo, as habilidades não são transferíveis, ou somente são minimamente transferíveis, na outra direção. Ser um bom jogador de *Madden Football* terá pouquíssimo

Por ironia, a razão de *video games* desenvolverem tão pouco as habilidades reais é o fato de recompensarem *em demasia*.

efeito no quintal de seu vizinho; menos ainda no gramado de um estádio profissional.

Por ironia, a razão de *video games* desenvolverem tão pouco as habilidades reais é o fato de recompensarem *em demasia*. A autoridade real é um negócio entediante. O desenvolvimento aprofundado de competência para se tocar um instrumento, pilotar um avião ou realizar o transplante de órgãos humanos requer horas de prática, nada estimulantes e sem reservas, que dão pouco retorno em termos de uma sensação imediata de autoridade. Nos *video games*, qualquer guerreiro se torna habilitado para integrar a elite da Forças Armadas, e qualquer jogador de basquete é capaz de fazer uma "enterrada". Isso sem mencionar que o uso de violência letal não deixa qualquer cicatriz emocional, somente a agradável sensação de vitória — e corpos na tela que permanecem perpetuamente jovens e vigorosos. Quanto mais você se dedicar a simulações, tanto mais a verdadeira autoridade e vulnerabilidade recuam em sua vida. *Video games* fornecem um atalho para as pessoas quase divinas que gostaríamos de ser, mas somos muito inconstantes para realmente nos tornar como elas.

Ativismo sem atrito

Se esse desenvolvimento simulado ficasse restrito ao universo da diversão — aos cruzeiros e aos *video game*s — pelo menos saberíamos que ele não é o mundo real. No entanto, essa estrutura com base em recompensas que vem dos *video game*s — a autoridade e a vulnerabilidade simuladas que surgem da realidade virtual — está também colonizando cada vez mais nossas interações com questões mais sérias do mundo real. Por exemplo, assim como as formas de entretenimento mediadas pela tecnologia, a tecnologia das redes sociais está se tornando cada vez mais "gamificada", à medida que os desenvolvedores aprendem como despertar a profunda fome humana por simulações de autoridade e de vulnerabilidade. Nas redes sociais, é possível se engajar em experiências de ativismo quase que inteiramente livres de atrito, expressando entusiasmo, solidariedade ou indignação (tudo isso são sensações poderosas de autoridade) em relação à causa preferida e a um clique do botão.

Como todas as formas de mídia (inclusive livros como este!), as redes sociais são, em grande medida, aquilo que fazemos delas: podem ser escapistas ou transformadoras, dependendo daquilo que esperamos delas ou de como as usamos. Em lugares remotos do mundo, uma geração emergente usa as redes, como o Twitter, para coordenar exemplos admiráveis de ação significativa combinada com risco extraordinário. Exemplos recentes disso, enquanto escrevo este livro, são os protestos em Hong Kong e as manifestações nos Estados Unidos contra práticas policiais abusivas e o racismo.

No entanto, esses dois usos das redes sociais possuem duas características em comum. Primeiro, são amplamente usadas por pessoas que vivem em profundo sofrimento — expostas a risco significativo sem ganharem a capacidade de ação significativa por suas sociedades. Segundo, elas são levadas a incorporar por si mesmas experiências de ação comunitária. Quando as redes são ferramentas que ajudam aqueles que carecem de capacidade de ação a tomar ações, e os levam a assumir riscos em lugar de ficarem paralisados no Sofrimento, elas poderão conduzir à mudança real.

Entretanto, quando residentes da confortável afluência do Recolhimento usam as redes para *simular* engajamento, a fim de nos dar a impressão de fazer um investimento pessoal, quando de fato nossa atividade não arrisca nada de novo, nem forma nada novo em nosso caráter, então o "ativismo virtual" é, na realidade, um jeito de duplicar o recolhimento, ao manter nossa invulnerabilidade e nossa incapacidade enquanto cria a sensação de envolvimento. Somente quando a tecnologia serve a um movimento genuíno, incorporado e arriscado na direção do desenvolvimento, é que ela será algo diferente do que ópio para a elite de massas — a droga que nos deixa raquíticos em nossa apatia e os nossos próximos, necessitados.

A geração da segurança

Antes de nossa época, quase ninguém conseguia permanecer no Recolhimento por mais do que os primeiros anos da infância. O mundo era muito árduo, e as culturas humanas eram muito exigentes de uma maturidade real. A sociedade não podia tolerar aqueles que se evadissem da autoridade e da vulnerabilidade necessárias para o desenvolvimento a partir do mundo. Considere a criança de oito anos mandada para ordenhar a vaca no curral. Ela já recebeu o verdadeiro desenvolvimento: a autoridade de dominar uma criatura, sendo responsável por seu desenvolvimento e se beneficiando de sua abundância; ao mesmo tempo, também já recebeu uma dose de vulnerabilidade como um pequeno ser humano que se coloca ao lado de um imenso bovino. É o tipo de desenvolvimento que uma criança ordenhando uma vaca no jogo virtual *Minecraft* (o que pode ser alcançado, me informam, ao clicar o botão direito do mouse enquanto se "segura" um balde) jamais conhecerá.[2]

Hoje em dia, porém, temos de constantemente nos mover para o quadrante situado no alto e à direita. Se existe uma tentação que me parece endêmica à geração emergente de jovens adultos é a opção pelo Recolhimento, o recuo tanto da autoridade quanto da vulnerabilidade. Durante um culto de adoração, uma noite de primavera, apresentei o diagrama dos quadrantes que uso neste livro a algumas centenas de estudantes universitários — especialmente os três quadrantes nos quais todos ficamos tempo demais em nossa vida. Depois, convidamos os estudantes a virem à frente para a oração, a fim de que fossem libertos para a vida abundante e de desenvolvimento para a qual fomos criados. Ficamos perplexos e tocados à medida que mais de cem estudantes vieram à frente para a oração por sua vida. Foi uma das manifestações do poder e da presença de Deus que não é possível orquestrar, mas tão somente receber. E permanecemos até tarde da noite a fim de orar juntamente com esses amigos.

No dia seguinte, o capelão da faculdade e a equipe de conselheiros que havia orado com os estudantes se reuniram para conversar sobre o evento da noite anterior. Eu estava curioso para saber sobre qual dos quadrantes a maioria dos pedidos de oração tinha sido feita. Será que os estudantes lutavam com experiências de vulnerabilidade persistente sem autoridade? Ou com a tentação de obter autoridade sem vulnerabilidade? Ou com o afastamento de ambas as coisas? De modo predominante, cada um dos líderes de oração relatou que tinha sido o quadrante do Recolhimento, do domínio da inação, do medo da exposição, da segurança. Um jovem rapaz me procurou para orar e confidenciou que estava experimentando uma forte tentação de minimizar o risco, de evitar o envolvimento real e de procurar o afastamento em cada uma de suas quatro amizades mais próximas.

Em meio a uma segurança tal como o mundo jamais conheceu antes, a maior luta espiritual que muitos de nós enfrentamos é a de ter a disposição de remover a bolha de proteção que nos envolve.

O caminho para sair do Recolhimento

A boa notícia a respeito de fugir do quadrante do Recolhimento é que qualquer movimento, seja para o lado da autoridade, seja para o da vulnerabilidade, é um passo na direção certa. Talvez os dois melhores movimentos iniciais, para aqueles de nós que estão envoltos na "cobertinha" da afluência material ou intoxicados por nossa tecnologia, vão na direção do mundo natural — o mundo das estrelas, de neve e chuva, árvores e desertos — e na direção do mundo relacional — o mundo dos corpos reais com batimentos cardíacos, mãos e rostos.

Desligue seus aparelhos eletrônicos e saia para uma caminhada ou corrida, não apenas quando o tempo estiver agradável, mas também quando houver ventos fortes, a chuva cair ou a umidade estiver alta. Trema de frio, ou sue, sinta a fadiga nos braços e nas pernas, ouça os barulhos da cidade ou do campo sem o filtro de seus fones de ouvido. Decida ir a lugares diferentes: para a praia, para as montanhas ou para o campo aberto e amplo, enfim, para algum lugar em que se sinta pequeno, não grande.

Decida ir a lugares diferentes: para a praia, para as montanhas ou para o campo aberto e amplo, enfim, para algum lugar em que se sinta pequeno, não grande.

Ouse caminhar através do *campus* de uma universidade ou através da cidade sem olhar para a tela de seu *smartphone*.

Decida se apresentar a uma nova pessoa a cada dia — apenas para saber seu nome e se apresentar a ela também, sem qualquer outra pauta.

Passe um café ou prepare um chá, sente-se com um amigo e faça perguntas a ele — perguntas que estejam sempre um passo mais arrojado adiante do que da última vez em que conversaram. À medida que você ouve, observe as expressões do rosto do outro, como a tristeza ou a esperança. Tente imaginar o que seria viver a história dessa pessoa, sofrer as perdas dessa pessoa junto com ela, e sonhar seus sonhos. Ore com ela e ouse colocar em palavras seus desejos mais pessoais, e ouse pedir a Deus que ele lhe conceda isso.

Da próxima vez que for viajar, decida não ser um turista, que usa riqueza para adquirir experiências de importância vicária — estar em lugares que nos fazem sentir grandes e notáveis. Procure pessoas que vivem nos cantos mais cruéis do mundo. Acompanhe essas pessoas, ainda que por pequenos períodos, dentro da autoridade e vulnerabilidade delas. Compartilhe com elas o que você tiver em medida suficiente, de forma que sua generosidade sinta a vulnerabilidade, esvaziando sua conta bancária ao ponto de você começar, instintivamente, a orar pelo pão diário.

Nossa afluência material nos deixou despreparados para a tragédia e o perigo do mundo. Contudo, o que não conseguimos enxergar quando estamos enquadrados pelo Recolhimento é que existe algo muito melhor à frente, prazeres para os quais precisamos nos fortalecer a fim de suportar. Somente descobriremos essas pessoas se alguém nos desenrolar da "cobertinha" e nos chamar. E a grande e alegre notícia do evangelho é que Alguém já fez isso.

5
Exploração

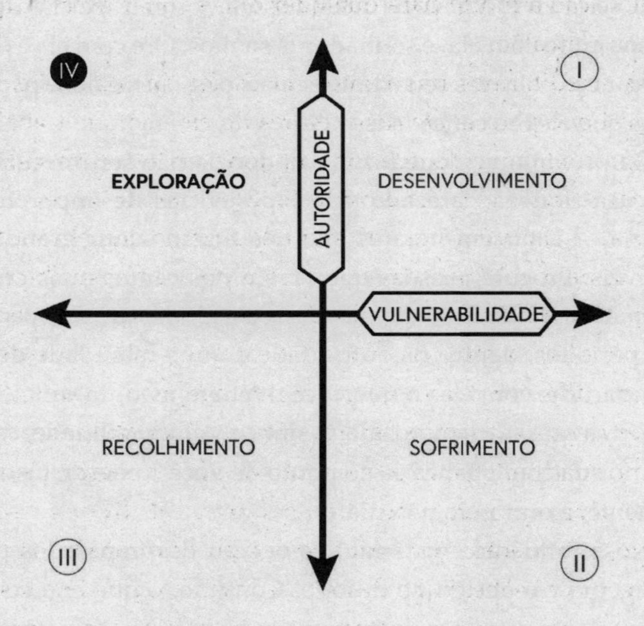

Enquanto escrevo estas palavras, o tirano que aparenta ser o mais bem-sucedido no mundo é um homem chamado Kim Jong-un.

Juntamente com um pequeno número de líderes da elite, Kim governa com autoridade absoluta a República Popular Democrática da Coreia — mais conhecida como Coreia do Norte. Da mesma forma que seu pai e seu avô, Kim eliminou de modo cruel qualquer pessoa que pudesse representar uma ameaça a seu poder, até mesmo ordenando a execução de membros mais velhos da própria família. Se alguém causar a mínima perturbação à autoridade do líder ou a sua noção de orgulho nacional — se, por exemplo, entregar um projeto não satisfatório para um novo aeroporto — isso representará uma condenação à morte para qualquer oficial, quer do alto, quer do baixo escalão.

Se acreditarmos nos relatos de chefes de cozinha e, por incrível que pareça, até de diretores de cinema que trabalharam para a família do ditador, Kim Jong-un leva uma vida de extraordinárias regalias e conforto. Mas, apesar da repetição otimista de informações que saem da agência de notícias controlada pelo governo, essa abastança nunca se espalha para além de um pequeno círculo. A maior parte dos súditos de Kim vive em profunda pobreza, e cada um dos cidadãos do país convive com um medo perfeitamente justificado.

Kim Jong-un vive na parte de cima e à esquerda do diagrama, no quadrante IV, Exploração. Contudo, as pessoas que ele lidera vivem profundamente no quadrante II. Tirania e sofrimento, exploração e pobreza são sempre encontrados juntos. De fato, você saberá que descobriu uma situação de injustiça quando umas poucas pessoas num sistema desfrutam autoridade sem vulnerabilidade às custas da maioria das pessoas naquele mesmo sistema, as quais sofrem de vulnerabilidade sem autoridade.

Os tiranos e ditadores vivem no ponto mais extremo da exploração, com seus povos vivendo no ponto mais extremo do sofrimento. No entanto, o quadrante Exploração é encontrado em qualquer lugar em que pessoas buscam maximizar o poder enquanto eliminam o risco. E este se revela o quadrante mais sedutor e perigoso de todos.

Risco e recompensa

Um experimento bem engendrado atrás do outro demonstra que nós, seres humanos, somos consideravelmente mais motivados pelo temor da perda do que pela possibilidade de lucro. Se eu lhe entregar cinquenta dólares e lhe propuser a seguinte escolha: pegar o dinheiro e levá-lo consigo ou apostar a quantia, com a possibilidade de receber quinhentos dólares, é muito mais provável que você escolha ficar com os cinquenta dólares já assegurados do que fazer uma aposta. Poucos momentos antes, você não tinha nada, mas, quando se ganha algo, o desejo é o de conservar isso.

Essa tendência de "aversão à perda" não é universal. Alguns de nós aceitaremos encarar muito mais riscos do que outros. Entretanto, no mais das vezes, essa tendência é coerente e poderosa o suficiente para afetar indústrias, economias e nações inteiras. O agente completamente racional na economia, essa criatura fictícia às vezes chamada de *homo economicus*, calcularia o risco em comparação com a recompensa, de forma totalmente matemática. Mas o *homo sapiens* pesa o risco e a recompensa usando critérios muito diferentes.

E esse fato explica algo interessante sobre o nosso diagrama 2x2. O desenvolvimento pessoal, como tenho argumentado, requer tanto autoridade *como* vulnerabilidade em igual medida. A verdadeira vida para a qual fomos criados exigirá de nós tanto a ação quanto o risco. Contudo, não perseguimos essas duas coisas boas com o mesmo entusiasmo, nem com a mesma indiferença. A maioria de nós está muito mais disposta a se mover para cima do que a se mover para o quadrante do lado direito. Na realidade, é muito mais provável que gastemos significantes doses de energia nos movendo para *fora* do que *na direção* do quadrante da direita.

É a aversão à perda em ação. A autoridade corresponde à habilidade de acrescentar alguma coisa ao mundo — à possibilidade de ganho. A vulnerabilidade corresponde à possibilidade — embora seja somente a possibilidade — de perda. Em nossas escolhas diárias, tanto as conscientes como as inconscientes, a possibilidade de perda adquire uma dimensão bem maior do que a possibilidade de ganho. Essa é a razão por que muitos de nós se movem para o quadrante da esquerda, para longe da vulnerabilidade.

Essa é, também, a razão por que para muitos de nós autoridade sem risco parece ser uma melhor opção. Talvez a única diferença entre nós e Kim Jong-un é que para ele, por um acidente de nascimento, esse sonho de viver no alto e no quadrante da esquerda se tornou terrivelmente verdadeiro.

Seu cérebro drogado

Considere uma situação social que todo ser humano tem de enfrentar em algum momento: entrar numa sala cheia de pessoas que não conhecemos. Para a maioria de nós, isso representa um risco significativo. (Para uns poucos superextrovertidos, essa situação representa puro prazer — uma multidão de amigos que você ainda não havia encontrado! Você sabe quem você é. O restante de nós também sabe quem você é, e tanto sentimos inveja de você como também pensamos que você é mesmo bizarro.) Depois dos primeiros dias felizes de nossa primeira infância, aprendemos, em geral do modo mais difícil, que existe vulnerabilidade nas multidões.

Agora, pense na vulnerabilidade dos primeiros dias e meses de sua idade adulta: sua primeira temporada fora de casa, talvez num *campus* universitário, e a sensação simultânea de animação e trepidação de sua primeira grande festa no *campus*, cheia de colegas aparentemente alegres, confiantes e atraentes.

E se eu pudesse lhe passar algo para sua versão de dezoito anos entrando naquela festa — algo que você pudesse segurar na mão, algo que ampliasse sua autoridade e aliviasse sua vulnerabilidade? Alguma coisa que, à medida que você a segurasse — e a ingerisse —, gradativamente diminuísse o seu desconforto e aumentasse a sua animação? Essa coisa não seria estritamente legal, pelo menos não nos Estados Unidos, mas poderia ser tremendamente sedutora.

No momento em que começa a usar o álcool a fim de administrar sua vulnerabilidade numa situação social, você irá em direção ao quadrante do alto no lado esquerdo. No início, e até certo ponto, isso lhe fará maravilhas. Uns poucos drinques tirarão a sensação aguda de risco e de exposição que você sentiu ao entrar. Eles lhe darão uma sensação elevada de poder e de possibilidade. Você viverá a vida intoxicada de um deus em escala menor.

Entretanto, depois de algum tempo, assim como acontece com todos os vícios (e com todos os ídolos), o efeito começa a arrefecer. Será necessária uma dose mais forte depois da outra para obter o mesmo efeito. E, gradativamente, aquilo que antes oferecia autoridade sem vulnerabilidade começa a colocá-lo em risco e a lhe roubar a autoridade. No longo prazo, a não ser que seja liberto por um milagre da graça, você perceberá que aquela coisa que prometia autoridade sem vulnerabilidade o traiu, entregando-o às profundezas do sofrimento — vulnerabilidade sem autoridade.

Nossa vida cotidiana está repleta dessas pequenas escolhas — pequenas, à primeira vista, mas com o passar do tempo se tornam grandemente dependentes das estratégias que preservam nosso senso de ação enquanto minimizam nosso senso de risco. No passado, a igreja enumerou sete pecados capitais: luxúria, glutonaria, cobiça, preguiça, ira, inveja e soberba. A maior parte desses pecados é um modo de buscar autoridade sem vulnerabilidade. Sexo sem compromisso (luxúria), comida sem moderação (glutonaria), bens sem limites (cobiça), raiva sem compaixão (ira), e, acima de tudo, a busca por poder autônomo, do tipo divino (soberba). Essas coisas são formas daquilo que as Escrituras chamam, de modo mais abrangente, idolatria — o uso de coisas criadas a fim de buscar um poder semelhante ao de Deus, sem riscos ou limites. (A preguiça, claro, é o pecado capital que corresponde ao Recolhimento, a segurança de não arriscar coisa alguma neste mundo. E a inveja pode ser o gatilho do pecado do Sofrimento, a inveja e a amargura daqueles que conseguem ver somente a sua própria vulnerabilidade e a autoridade dos outros.) Todas essas coisas não passam de variações das promessas que acompanharam o primeiro ídolo de todos, o fruto oferecido pela serpente no Jardim do Éden: "Vocês serão como Deus" — terão autoridade ilimitada — e "Vocês não morrerão" — nada dessa dependência vulnerável de criatura.

Talvez o ídolo mais característico de nossa era seja a pornografia *on-line*, pois funde dois dos ídolos mais poderosos de nossos dias: sexo e tecnologia. Experiências vicárias de conhecimento e de conquista sexual estão disponíveis ao alcance de um clique. A autoridade, que começa com a habilidade de ver outras pessoas nuas e vulneráveis, vai se desenvolvendo por formas mais explícitas de pornografia até, finalmente, alcançar as formas mais extravagantes e, em última instância, demoníacas de dominação. Mas essas experiências de conhecimento e de controle quase divinos são consumidas normalmente a partir de uma situação de completa invulnerabilidade, em isolamento e segredo.

A ironia é impressionante: a promessa de "liberdade" da revolução sexual do século 20 deu lugar a uma epidemia de escapismo sexual atenuado e mediado no século 21. Até mesmo a maioria dos observadores secularizados admite agora que a pornografia prejudica a capacidade de homens e mulheres de manter níveis saudáveis de desejo sexual por seus parceiros reais, e sobretudo de experimentar a verdadeira autoridade e vulnerabilidade que o relacionamento sexual representa. Quem poderia prever tal resultado? Qualquer um poderia ter previsto isso — qualquer pessoa que compreende o poder que os ídolos têm de prometer liberdade e entregar escravidão, de oferecer autoridade e entregar vulnerabilidade, de sussurrar fantasias de poder, mas de terminar por nos fazer cair completamente sob o seu controle.

Enquanto alguns de nós, unicamente pela graça de Deus, conseguem escapar da sedução dos ídolos mais poderosos, nenhum de nós deixa de ter algum hábito, algum padrão persistente de pensamento, alguma substância ou equipamento para o qual nos voltamos quando nos sentimos vulneráveis. Sempre será algo que ameniza nossa vulnerabilidade e eleva nosso senso de capacidade de agir. Eles nos oferecem, em uma palavra, o *controle*, pois a própria essência do controle é autoridade sem vulnerabilidade, a habilidade de agir sem a possibilidade de perda. O controle é o sonho dos que têm aversão ao risco e à perda, a promessa de todos os ídolos, e a busca de todas as pessoas

O controle é o sonho dos que têm aversão ao risco e à perda, a promessa de todos os ídolos.

que experimentaram vulnerabilidade e juraram nunca mais se deixar expor de novo daquela maneira.

No entanto, ter o controle é uma ilusão. Na realidade, tudo que está no quadrante Exploração é uma ilusão. No fim das contas, não existe essa coisa de verdadeira autoridade sem verdadeira vulnerabilidade. Nossos ídolos inevitavelmente nos decepcionam, geralmente mais cedo do que mais tarde. E, à medida que começam a nos decepcionar, tentamos alcançar, de forma ainda mais violenta, o controle que pensávamos que eles nos prometiam e que merecíamos. É por isso que o resultado da vida neste quadrante é a exploração — arrancar do mundo, e especialmente daqueles que são muito fracos para resistir, as coisas boas que nossos ídolos prometiam, mas que não puderam nos entregar.

À medida que umas poucas pessoas perseguem e, mesmo que por pouco tempo, alcançam o ídolo do controle e exploração, a comunidade ao redor deles entra na pobreza que a exploração sempre produz.

Phil e Leslie

Certa noite, meus amigos Phil e Leslie[1] estão a caminho de casa em seu carro, depois de um dia de trabalho como obreiros no *campus* da Universidade da Califórnia, em Berkeley. Param numa mercearia para comprar comida. Depois, quando dobram a esquina e entram na avenida em que moram, notam luzes vermelhas e azuis de um carro da polícia piscando atrás deles. "Será que tem uma lanterna queimada na traseira?", pensa Phil.

Em poucos minutos, apareceram no local seis carros da polícia com suas luzes piscando e suas sirenes ligadas. Mais tarde, Phil descreveu o que aconteceu:

A voz vinda de um megafone me disse para baixar o vidro do motorista. A voz me ordenou que abrisse a porta do carro, mantendo as mãos visíveis a todo momento. *Ande quatro passos para o lado do carro, mantenha as mãos bem visíveis*, me disseram. As instruções continuaram: *Fique de frente para o carro. Ajoelhe-se. Ponha as mãos no chão. Deite-se de bruços. Vire o rosto para a direita.*

Deitado no chão, Phil é algemado e colocado dentro de um dos carros da polícia. Leslie também foi submetida ao mesmo tratamento. Agora, estão em carros da polícia diferentes, vendo a polícia vasculhar seu veículo (revirando as compras e o material de estudo bíblico, e nada mais). Alguém foi assaltado sob a mira de um revólver a poucas quadras de distância, diz um policial, e ele e Leslie "combinam com a descrição" dos assaltantes. O policial ignora a fala de Phil, que tenta mostrar o cupom fiscal da mercearia que poderia remover qualquer suspeição. Em lugar disso, Phil é retirado do carro de polícia, ainda algemado, de modo que a vítima possa identificá-lo. Os vizinhos assistem a tudo de suas varandas, enquanto ele está de pé sob o clarão dos faróis e das lanternas dos policiais.

Meia hora mais tarde, com um ríspido "Desculpe o incômodo", e um incisivo lembrete de que eles ainda não estavam livres de suspeição, as algemas são retiradas e eles têm permissão para seguir adiante.

Existe algo que você nunca iria adivinhar que faz dessa história uma ironia, e algo que você pode facilmente adivinhar, que faz disso tudo muito comum e trágico.

O que você jamais adivinharia é que o sogro de Phil, o pai de Leslie, é o chefe de polícia numa cidade a poucos quilômetros de onde eles foram detidos. Ela cresceu conhecendo a grande dignidade do trabalho policial, juntamente com seus perigos e demandas, e vendo seu pai receber condecorações por sua liderança corajosa e leal.

Aquilo que você poderia adivinhar é que Phil e Leslie são negros.

Os militares e a polícia

Uma vulnerabilidade que toda comunidade enfrenta é o crime. Alguns crimes têm origem na frustração do quadrante chamado Exploração, com o fracasso dos ídolos, a indulgência dos pecados capitais da luxúria, cobiça e do restante, e com a exploração que vem logo depois. Alguns crimes surgem da privação própria do Sofrimento, com um apelo desesperado para obter algum meio de autoridade no mundo. O fato de depender de segredo e de violência faz com que o crime jamais consiga oferecer o desenvolvimento pessoal real que seus perpetradores buscam obter. O crime deixa feridos tanto a comunidade como os que o cometem, e os deixa cada vez mais distantes do desenvolvimento.

Assim, toda comunidade tem de achar um meio de limitar, prevenir e punir o crime. Contudo, as abordagens que usamos em relação ao crime dizem muito a respeito do quadrante que governa nossa imaginação. Aquilo que Phil e Leslie encontraram naquela noite, e que tantos afro-americanos encontram de forma rotineira em suas interações com a polícia, é uma forma de policiamento que busca uma autoridade cada vez maior com cada vez menos vulnerabilidade. Mas, assim como todas as outras tentativas de movimento nesse quadrante, isso leva outros a terem o mesmo tipo de experiência que Phil e Leslie tiveram naquela noite, o sofrimento da vulnerabilidade sem autoridade.

O trabalho policial traz consigo um risco significativo inerentemente alto, sobretudo num país como os Estados Unidos, que tem um número médio de armas equivalente ao da própria população. Os policiais (nem todos eram brancos) que pararam Phil e Leslie estavam, eles mesmos, numa situação potencialmente vulnerável, sabendo que havia ladrões armados na área de seu distrito. São poucas as profissões que convidam seus membros à exposição ao perigo do modo que acontece com a polícia de maneira rotineira. É inteiramente razoável, e bom para o desenvolvimento pessoal de todos, que procuremos administrar os riscos que a polícia enfrenta por nós.

Em anos recentes, porém, muitas forças policiais americanas, encorajadas por vultosas concessões financeiras federais, acrescentaram armas e táticas que, anteriormente, eram utilizadas somente por unidades militares. Armas e dispositivos militares de proteção buscam reduzir de forma drástica a vulnerabilidade enquanto aumentam a autoridade. Um homem vestindo proteção militar, e dentro de um carro-tanque, tem maior capacidade de ação e menor vulnerabilidade que um policial tradicional, que patrulha a pé, ou mesmo num veículo, armado apenas com um cassetete e uma pistola. E, ainda que tudo o que a polícia fez ao parar Phil e Leslie possa ter sido legal, não é nada difícil perceber que tudo foi engendrado a fim de criar uma situação em que a polícia tivesse a situação sob seu total controle.

Ter controle é um objetivo militar válido. Aliás, o objetivo por excelência da ação militar é a *conquista* — toda a autoridade é conferida ao vencedor, e nenhuma capacidade restante de ação significativa resta para o perdedor ("render-se" é ser incapaz de ação significativa). O alvo das forças militares é o "controle do teatro de operações" — de ser o único ator com capacidade para a ação significativa.

Entretanto, o objetivo da força policial não pode ser nem a conquista nem o controle. O alvo da força policial é o desenvolvimento — na realidade, o *aumento* da capacidade de ação significativa numa comunidade. Em uma comunidade com policiamento efetivo, mais pessoas possuem mais autoridade. A autoridade militar visa zerar a autoridade; a autoridade policial, usada de forma apropriada, aumenta a soma total da autoridade numa comunidade.

O movimento em direção à militarização da polícia representa um aumento assimétrico de autoridade em lugar de um aumento simultâneo de autoridade e de vulnerabilidade. E, dessa forma, é bem provável que seja um movimento na direção do quadrante Exploração, e não do quadrante Desenvolvimento. De fato, alguns especialistas na aplicação da lei argumentam que o patrulhamento efetivo foi comprometido quando começou a ser realizado com veículos em vez de ser feito a pé. O patrulhamento com veículos representa uma mudança significativa dos riscos reais feitos pelos departamentos que enfatizam o que é chamado de "policiamento comunitário", uma abordagem que destaca a interação e o relacionamento entre a polícia e as comunidades que são servidas por ela.

E, como frequentemente acontece com todas as tentativas de garantir autoridade sem vulnerabilidade, a busca por um policiamento do estilo do quadrante IV fracassa em cumprir suas promessas. Forças policiais que se distanciam de suas próprias comunidades estarão cada vez menos capacitadas à ação significativa e mais expostas ao risco. Blindagem protege, mas também restringe. Um representante da lei num veículo blindado terá apenas umas poucas opções em relação a uma multidão, e a maioria delas envolverá o uso de violência. Assim, embora possua poder de fogo, ele poderá, na realidade, ter menos autoridade do que um indivíduo solitário postado frente a frente com a multidão. Com o passar do tempo, qualquer força policial que dependa de um poder tão assimétrico se verá perdendo a autoridade que conta verdadeiramente, a habilidade de prevenir em lugar de somente punir o crime e a desordem.

A vulnerabilidade dos outros

Aprendemos (ou pelo menos ouvimos a respeito) nas aulas de física na escola acerca das leis da física sobre a conservação — massa, energia e movimento. O *design* do universo é tal que não podemos realmente nem acabar com a massa ou a energia nem as criar; podemos apenas mover as coisas de lugar.

Não tenho certeza se existe uma lei da "conservação da vulnerabilidade" no mesmo sentido que na física, mas ainda assim esta é uma norma geral: *a vulnerabilidade perdida por um grupo de pessoas é inevitavelmente assumida no sofrimento de outros*.

Dito de outra maneira, a busca por autoridade sem vulnerabilidade ocorre sempre às custas de outras pessoas vivendo com vulnerabilidade sem autoridade. De fato, a busca por autoridade sem vulnerabilidade *multiplica* a vulnerabilidade sem autoridade. O sofrimento resultante é sempre muito maior e dura por muito mais tempo que qualquer outro benefício momentâneo que vem da exploração.

Dessa forma, os criminosos que cometeram o assalto à mão armada no bairro de Phil e Leslie, e que se apoderaram de bens de alguém vulnerável a suas armas, bens que não obtiveram por meio de seu próprio trabalho, fizeram com que uma comunidade inteira sofresse um aumento de vulnerabilidade. Do mesmo modo, embora a polícia possa ter agido nos limites da lei e com a melhor das intenções, a tática usada para deter Phil e Leslie acentuou todo tipo de vulnerabilidade.

A pessoa que é viciada em drogas adquire sensações de poder e controle quase divinos. Sua família, na melhor das hipóteses, sofre negligência enquanto a pessoa está sob a influência das drogas. Quando, porém, o efeito das drogas acaba, a família é exposta a explosões de raiva dessa mesma pessoa. Assim também a pessoa que é viciada em pornografia busca autoridade sexual ou, pelo menos, uma simulação dessa autoridade, ao "conhecer" outras pessoas em detalhes gráficos. Essa pessoa faz isso sem qualquer vulnerabilidade sexual, sem que ela mesma seja conhecida. Mas essa experiência de sexualidade sem vulnerabilidade ocorre às custas da exploração de pessoas que são expostas, de maneira literal e figurada, ao usuário da pornografia sem a autoridade que lhes seria concedida num relacionamento genuíno de amor e intimidade. Frequentemente a pessoa que se torna a mais vulnerável de todas é o cônjuge da pessoa viciada em pornografia, que é negligenciado pela escolha de um relacionamento fantasioso e de controle unilateral. Em vez de conviverem num relacionamento de autoridade e vulnerabilidade mútuas, a escolha da busca pela Exploração, feita por um dos cônjuges, impõe o Sofrimento à outra pessoa.

> A vulnerabilidade perdida por um grupo de pessoas é inevitavelmente assumida no sofrimento de outros.

A primeira coisa que um ídolo toma de seus adoradores são seus relacionamentos. Os ídolos não se importam com a troca de autoridade e vulnerabilidade que acontece no contexto do amor; os poderes demoníacos que estão por trás dos ídolos, e que nos atraem para eles, desprezam o amor. Portanto, o melhor primeiro sinal de que você está escorregando para o lado do quadrante Exploração é que os seus relacionamentos mais próximos começam a se decompor. E isso se expressa na busca pela autoridade sem vulnerabilidade em seu trabalho, em sua diversão, no álcool, café ou chocolate (ou em qualquer que seja a droga de sua escolha, na pornografia ou em histórias românticas).

São esses, no fim das contas, os relacionamentos que podem lhe dar a maior capacidade real de ação significativa. Mas eles também exigem de você o maior risco pessoal. E, à medida que você vai subindo e se inclinando para o quadrante do lado esquerdo, aquelas pessoas que dependem de você no que se refere a amor, amizade e apoio se afundam no quadrante da direita no lado de baixo. É bem pior para aqueles que já estão em situação de risco, os jovens, os velhos, aqueles que pouco contribuem para nossas sensações de poder e que nos expõem à maior percepção de nossos próprios limites. Essas pessoas somente experimentam o desenvolvimento pessoal se resistirmos às tentações do quadrante Exploração — e, quanto mais buscarmos o quadrante Exploração, mais ainda elas serão engolidas pelo Sofrimento.

> A primeira coisa que um ídolo toma de seus adoradores são seus relacionamentos.

No longo prazo, porém, não são apenas os mais vulneráveis que sofrem por causa daqueles que procuram a idolatria do quadrante Exploração. A categórica crítica bíblica aos ídolos e a seus fabricantes é que aqueles que os fazem se tornam como eles: inertes e basicamente mortos. O ídolo que começa por prometer autoridade sem vulnerabilidade invariavelmente entregará vulnerabilidade sem autoridade. O drinque que inicialmente produz uma sensação de êxtase e liberdade acaba privando seus usuários da capacidade mais básica para a ação. A tirania é a forma mais poderosa de governo nas questões humanas, até que, certo dia e subitamente, é a mais fraca. Raramente um tirano é enterrado seguro de seu poder; e, ainda mais raro, tendo criado um sistema que permita que seus herdeiros mantenham seu poder geração após geração. A Coreia do Norte, em sua terceira geração de tiranos, é a exceção que confirma a regra. Nada é mais assegurado em assuntos internacionais do que o fracasso e a queda do regime da Coreia do Norte, de uma forma ou de outra. A única questão é se seu colapso será, pela graça de Deus, misericordioso e relativamente pacífico ou se envolverá um último espasmo de brutalidade. Quanto maior for a ascensão no quadrante do lado superior esquerdo, mais certo será o julgamento final.

De fato, uma maneira de se compreender o tema constante do juízo e do inferno no Novo Testamento é que aqueles que teriam autoridade sem vulnerabilidade no fim das contas não podem ser contemplados com autoridade de modo algum. Em última análise, a justiça de Deus abolirá a autoridade daqueles que compraram seu poder às custas do desenvolvimento de outros, daqueles que recusam entrar num relacionamento com Deus, que é ao mesmo tempo autoridade e vulnerabilidade. Muito frequentemente, os ídolos nos arrastam para o inferno por si mesmos nesta vida. Contudo, se aqueles que parecem encerrar sua vida sustentando e se beneficiando da tirania não são levados ao acerto de contas, o mundo é o enigma mais cruel possível. Se não existe inferno para os que se apegam à tirania e recusam a misericórdia, então não existe essa coisa da justiça.

Se, porém, não existe misericórdia para aqueles de nós que buscaram e se beneficiaram dos ídolos, com nenhuma saída de seu poder e nenhum retorno ao desenvolvimento pessoal para o qual fomos feitos, então somos mesmo pessoas muito desesperadas.

Interlúdio

O caminho para o desenvolvimento pessoal

O que aprendemos desta jornada em torno do diagrama 2x2?

Chegamos à verdadeira raiz do problema: a busca por autoridade sem vulnerabilidade. Essa busca começou com nossos primeiros pais e continua assombrando a história humana. Ela gera o eixo da falsa opção: a linha que vai do quadrante Exploração para o do Sofrimento, as únicas alternativas que conhecemos. Vivemos num mundo em que o pecado foi, em sentido completo, institucionalizado; num mundo no qual, geração após geração, os privilegiados e poderosos governam sem qualquer risco, expondo outros à mais profunda vulnerabilidade ao mesmo tempo que os excluem da verdadeira autoridade. Exploração e Sofrimento resumem a tragédia da totalidade de nossa história humana.

Mas não era para ser assim. O nosso chamado é para o canto superior direito do diagrama. Fomos feitos para experimentar cada vez mais a plena autoridade designada para os seres humanos, que nunca pode ser separada da completa vulnerabilidade — o risco significativo definitivo — de entregar a nós mesmos uns aos outros e ao nosso Criador.

Até mesmo em nosso mundo infestado pelo pecado, vemos vislumbres dessa história. Uma infância humana sadia acontece no que chamamos de Segurança, sendo protegida de risco e não tendo ainda autoridade. À medida que crescemos, nossos pais nos dão cada vez mais autoridade, enquanto permitem que sejamos expostos cada vez mais ao risco. Ao apresentar nossos primeiros pais humanos num jardim plantado por Deus, o livro de Gênesis sugere que o todo do drama humano foi designado a fim de seguir o mesmo padrão — da proteção e inocência do Éden para o desenvolvimento pessoal completo, com a multiplicação e o domínio que Deus tencionou para os que carregam sua imagem. Da Segurança para o Desenvolvimento pessoal é o percurso que sempre foi pretendido.

Como podemos nos movimentar da história dos quadrantes Exploração e Sofrimento para a história de Segurança e Desenvolvimento? De que forma poderemos abrir espaço para a segurança da infância sem nos retirar para a indiferença da afluência material? Como elevaremos cada membro de nossas comunidades até a dignidade e a responsabilidade de serem portadores da imagem de Deus sem ceder às tentações da idolatria?

Se você começou a fazer perguntas como essas, já está a caminho de ser um líder.

A liderança não vem com um título ou uma posição. Começa no momento em que você se preocupa mais com o desenvolvimento de outros do que com o seu próprio. Começa quando se pergunta como poderá ajudar a criar e a sustentar as condições para que outros desenvolvam sua autoridade e sua vulnerabilidade em conjunto. Num mundo onde tantas pessoas simplesmente se recolhem na segurança, onde outros estão aprisionados na vulnerabilidade mais extrema, onde outros ainda buscam a sua própria autoridade sem necessidade de prestar contas, qualquer um que procure pelo verdadeiro desenvolvimento em muitos sentidos já é um líder. Isabel, a faxineira em Santa Barbara que encontramos no capítulo 3, é uma dessas pessoas. Suas preocupações se estendem além de suas circunstâncias para as pessoas a quem ela serve, sejam elas ricos proprietários ou mulheres imigrantes.

Líderes como Isabel estão preocupados com questões muito mais profundas do que seu próprio desenvolvimento. Eles fazem perguntas sobre o desenvolvimento pessoal dos vulneráveis e dos tipos de comunidades que contribuem para o desenvolvimento dos vulneráveis. Quem é líder, é possível dizer, perde todo interesse em livros de autoajuda. Não estão mais buscando primeiramente ajudar a si mesmos, mas investir a própria vida na vida de outras pessoas. Isso não significa que eles negligenciam seu próprio crescimento. É exatamente o contrário. O desenvolvimento pessoal se torna cada vez mais importante à medida que percebemos como é fácil entalar nos quadrantes do Sofrimento, Recolhimento e Exploração, e como fazemos pouca contribuição para o desenvolvimento quando ficamos presos a esses cantos. Mas, agora, o crescimento pessoal serve a um objetivo diferente — não à nossa satisfação ou realização pessoal, e sim a nos tornar o tipo de pessoa que pode auxiliar outros em seu desenvolvimento pessoal. Nosso alvo é ver outras pessoas agirem de forma significativa e assumir riscos significativos, ver tanto a autoridade como a vulnerabilidade se desenvolverem em comunidades tão pequenas como uma família ou tão grandes como uma nação.

> A liderança começa no momento em que você se preocupa mais com o desenvolvimento pessoal de outros do que com o seu próprio.

A boa notícia é que não podemos nem precisamos arrancar a nós mesmos dos quadrantes II, III e IV. Não vamos restaurar o mundo ao seu desenvolvimento pretendido com feitos extraordinários de progresso pessoal. Em vez disso, a restauração do mundo flui da vida singular de um ser humano singular, Jesus — o único ser humano capaz de carregar o fardo ou de oferecer os dons daquilo que tão superficialmente chamamos de "liderança". É somente Jesus, e o Espírito que ele enviou a fim de capacitar seu povo para sua missão redentora na criação, que verdadeiramente nos liberta do lamaçal da pobreza, indiferença e tirania.

Assim, a nossa libertação dos falsos quadrantes não é uma tarefa para qualquer outra pessoa a não ser Jesus. É uma obra da redenção soberana por meio daquele que nos resgatou quando não podíamos resgatar a nós mesmos. Qualquer progresso duradouro em direção à liberdade e ao poder verdadeiro do desenvolvimento é resultante da atividade da graça de Deus no mundo.

A verdadeira transformação do mundo e de nós mesmos acontecerá somente à medida que nos conformarmos à imagem de Jesus Cristo, quando seu caminho se tornar o nosso caminho, sua fonte de poder se tornar a nossa fonte de poder, e seus valores de vida se tornarem os nossos valores.

Isso tudo, porém, nos leva a duas outras verdades paradoxais acerca do desenvolvimento pessoal — verdades que fluem diretamente da observação do exercício transformativo do poder que Jesus demonstrou em seus curtos anos de vida pública. Há dois lugares para os quais Jesus foi que nós também precisamos ir. Se realmente tivermos absorvido os perigos das falsas escolhas que distorcem nossas vidas, comunidades e relacionamentos, esses serão os últimos lugares para os quais esperaríamos ou desejaríamos ir.

Por mais estranho que pareça, esses lugares são versões do quadrante IV (autoridade sem vulnerabilidade) e do quadrante II (vulnerabilidade sem autoridade). Esses mesmos lugares para os quais devemos escolher ir são os mesmos lugares para os quais os seres humanos não são destinados a ir, os dois extremos do eixo da falsa escolha — ambos os quais devemos visitar, acolher e considerar esvaziado de seu poder por um poder que não é seu.

Se queremos ser agentes de transformação no mundo, precisamos desejar carregar o fardo da autoridade *visível* com a vulnerabilidade *oculta*. Isso irá nos expor à tentação de nos tornar ídolos ou tiranos. Ainda assim, se não aprendermos a carregar a vulnerabilidade oculta, nunca verdadeiramente seremos capazes de contribuir para o desenvolvimento pessoal de outras pessoas.

Da mesma forma, precisamos optar pelo caminho do Sofrimento, nos expondo à vulnerabilidade sem autoridade, e isso a ponto de experimentar o risco definitivo sem a possibilidade de ação significativa, o mundo dos mortos.

É somente se visitarmos esses dois quadrantes, no tempo certo e do jeito certo, que levaremos conosco a imagem do ser humano mais transformador que o mundo jamais viu.

6
Vulnerabilidade oculta

O documento com a maior classificação de segurança nos Estados Unidos é denominado Boletim Diário do Presidente. Esse documento é normalmente entregue pelo diretor nacional de inteligência em pessoa ao presidente a cada manhã. É um resumo das informações mais críticas obtidas pela vasta rede de agências de inteligência do país nas últimas 24 horas.

De todos os boletins preparados desde que essa prática teve início em 1961, apenas duas páginas foram liberadas ao público — um texto com o título "Bin Laden está decidido a atacar os EUA", que foi apresentado ao presidente em 6 de agosto de 2001.

Cada manhã, o presidente ouve um relato direto e detalhado de todas as ameaças ao país. A seguir vem o restante da agenda: cerimônias, reuniões, ligações telefônicas, as ocasionais entrevistas públicas com a imprensa e jantares de Estado. Em tudo isso, o presidente fica informado de coisas que quase ninguém mais sabe com o mesmo grau de detalhes. E sobre todo esse conhecimento perturbador e terrível, o presidente não pode falar absolutamente nada.

O drama da liderança é a vulnerabilidade oculta.

Em muitos tipos diferentes de desenvolvimento pessoal, vemos autoridade e vulnerabilidade juntas, isto é, podemos realmente ver e perceber as duas coisas. Quando vemos um grande músico se apresentando ou um grande atleta competindo, podemos ouvir a admirável complexidade da música ou ver o competidor em ação. Nossa admiração procede de nossa percepção aguçada, não somente da autoridade dos que se apresentam, mas de sua vulnerabilidade também.

Às vezes, porém, o desenvolvimento pessoal vem com vulnerabilidade *invisível*, especialmente em liderança. Quase por definição, líderes possuem autoridade evidente; mas, quase por definição, também levam consigo uma vulnerabilidade que ninguém vê. Eles podem ter informação mais completa do que aqueles a quem lideram — como o presidente dos EUA depois do boletim da manhã. Podem, simplesmente, dispor de uma percepção e intuição mais profundas dos desafios que eles e suas organizações enfrentam. É isso o que significa ser um líder: carregar os riscos que somente você pode ver, enquanto continua a exercer a autoridade que todos veem.

> "Existe apenas uma resposta para a questão 'Como vai o seu negócio?'", ele me disse recentemente. "A resposta tem somente uma palavra: 'Ótimo'."

David é o fundador e o CEO de uma companhia *startup* de tecnologia em San Diego. "Aprendi que existe apenas uma resposta para a questão 'Como vai o seu negócio?'", ele me disse recentemente. "A resposta tem somente uma palavra: 'Ótimo'. Então, se fizerem uma pergunta sequencial, você tem permissão de dizer mais uma coisa, e essa coisa precisa ter a ver com o jeito como seu negócio tem sido ótimo — o último produto de sucesso, sua última grande contratação. E aí você tem de parar." Dizer mais do que isso pode afetar a maneira como seus clientes, seus investidores, seus fornecedores e seus funcionários veem a companhia. Se perceberem que o negócio está seriamente vulnerável, poderá haver um acentuado declínio involuntário de encomendas, investimentos e confiança.

A verdade é que por longos períodos nos últimos anos, "ótimo" não descreve de fato a precária existência de seu negócio, muito menos a sua própria pessoa. O negócio de David está perpetuamente próximo de ficar descapitalizado, por isso ele passa noites em claro pensando em como conseguir pagar os salários ao mesmo tempo que perde funcionários importantes nos piores momentos. Embora a firma ainda esteja se encaminhando na direção da viabilidade e do lucro, pelo fato de ter acumulado autoridade suficiente para conquistar novos clientes e conseguir financiamentos adicionais, a todo momento anda sobre um terreno precário, a uma pequena distância da insolvência.

Vinte e nove funcionários dependem da firma de David para pagar o financiamento de suas casas e prover o sustento de suas famílias e seu futuro. E a família e o futuro do próprio David também estão em risco. San Diego é uma cidade pequena, onde todos que participam da comunidade dos negócios conhecem uns aos outros. "Meus investidores me dizem que se esta firma fracassar, eu nunca mais terei um trabalho em San Diego novamente", me diz David.

Pressão? Imagine.

E, ao longo de tudo isso, através dos anos de trabalho que colocaram seu casamento, sua saúde e sua fé sob tremenda tensão, ele tinha de responder quando alguém lhe perguntava sobre como seu negócio estava indo.

"Ótimo."

Isso não é idolatria ou injustiça — não é o caso de alguém acumulando autoridade e poder e desviando a vulnerabilidade em cima de outros. David está criando desenvolvimento pessoal às custas de risco e custo pessoal real. Não tem sido fácil, mas David está vivendo verdadeiramente "no quadrante de cima e à direita". No entanto, David descobriu que mesmo para líderes sadios, existe frequentemente uma lacuna entre a percepção pública e a realidade privada (ver figura 6.1).

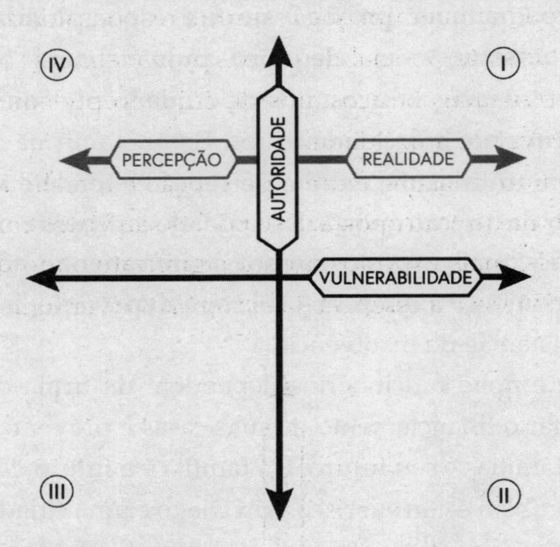

Figura 6.1. Liderança sadia

A realidade privada de David é o quadrante I: alta autoridade com igual medida de alta vulnerabilidade. Contudo, sua percepção pública, pelo menos entre seus funcionários e na comunidade de negócios, está amplamente no quadrante IV: autoridade mais elevada que vulnerabilidade. Quando a verdade mais profunda de sua vida é o quadrante I, mas outras pessoas presumem que você está no quadrante IV, quer goste quer não, você é provavelmente um líder.

Isso, é claro, não se aplica apenas a líderes de organizações. Aplica-se também a meu amigo Nate, pai de duas crianças na pré-escola. Um dia, ele exclamou para mim: "É incrível como criaturas tão pequeninas podem fazê-lo ficar tão bravo!". Para suas filhas, sem dúvida, Nate parece quase que pura autoridade. Elas não podem imaginar o quanto ele carrega em termos de vulnerabilidade como pai, incluindo a dura descoberta de sua própria impaciência e necessidade de autocontrole. Qualquer um que assume a responsabilidade pelo desenvolvimento pessoal de outros provavelmente já descobriu como os mais básicos atos de cuidado podem ser uma lição invisível de humildade.

Entretanto, a lacuna entre a percepção e a realidade pode também ir na direção oposta. E se líderes são vistos como mais vulneráveis, mais expostos a risco significativo, do que realmente são? Essa é a essência da *manipulação* (ver figura 6.2).

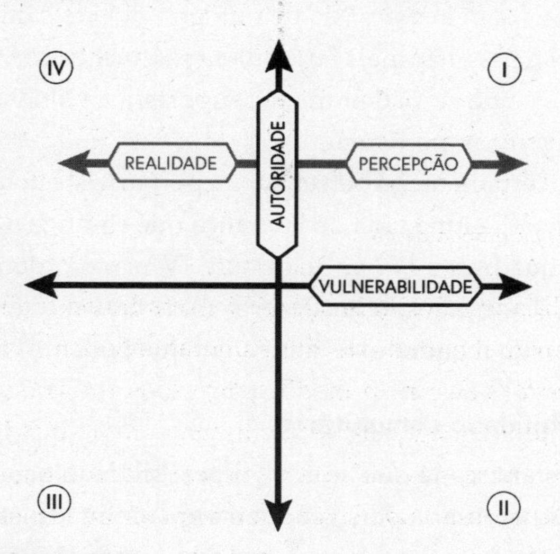

Figura 6.2. Manipulação

Líderes manipuladores aprenderam a simular vulnerabilidade, a parecer estar expostos a risco e, dessa forma, comprometidos com o desenvolvimento. Na verdade, porém, usam sua vulnerabilidade ostensiva para amparar sua autoridade desequilibrada. Esses são os líderes capazes de produzir lágrimas por demanda, que compartilham histórias comoventes de fracasso pessoal escolhidas a dedo, e que parecem ser compassivos e bondosos. Há também aqueles líderes que chamam atenção para cada pequena ameaça a seu poder e constantemente advertem quanto ao poder de seus inimigos, enquanto consolidam secretamente sua habilidade de controlar.

Líderes como esses, ao parecerem mais vulneráveis do que realmente são, escondem um compromisso profundo com a *invulnerabilidade*. Podem conquistar a simpatia e até mesmo a lealdade com o compartilhamento de seus temores pessoais ou com suas reclamações contra os oponentes. No entanto, líderes que usam a aparência de vulnerabilidade como estratégia a fim de ganhar mais autoridade são menos confiáveis do que líderes que verdadeiramente suportam a vulnerabilidade, mas o fazem em particular.

Você, certamente, já percebeu um perigo neste ponto. Como pode ser sadia uma vida de liderança que abrange o quadrante I e o quadrante IV? O quadrante IV não é o domínio dos ídolos e dos tiranos, o lar do erro mais básico que podemos cometer e da mentira mais antiga em que podemos acreditar?

Vulnerabilidade comunitária

Por mais arriscada que seja, a vulnerabilidade oculta é muitas vezes necessária para produzir verdadeira transformação. *A coisa mais importante para a qual fomos chamados é ajudar comunidades a encontrar sua mais profunda vulnerabilidade com a apropriada autoridade*. Em outras palavras, ajudar nossas comunidades a viver na autoridade plena e na vulnerabilidade plena do desenvolvimento. E acontece que, a fim de fazer isso, devemos frequentemente carregar a vulnerabilidade que ninguém enxerga.

Existem dois tipos de vulnerabilidade que devem permanecer ocultas se tivermos de conduzir outras pessoas na direção do desenvolvimento pessoal. Em primeiro lugar, *a exposição pessoal do líder ao risco* deve, muitas vezes, permanecer muda, invisível e até mesmo não presumível por outras pessoas. Em segundo lugar, *o líder deve carregar as vulnerabilidades compartilhadas que no momento a comunidade não tem autoridade para resolver*. A revelação de qualquer um desses tipos de vulnerabilidade resultará em distração, na melhor das hipóteses, e, no pior cenário, paralisará a comunidade pela qual o líder é responsável ao retirar dela a oportunidade de desenvolvimento real. Uma vez que a comunidade não possui autoridade — a capacidade de ação significativa — para lidar com essas vulnerabilidades, solicitar que a comunidade carregue essas vulnerabilidades somente a mergulhará ainda mais fundo no Sofrimento.

Considere os dois primeiros exemplos no começo deste capítulo. A cada manhã o presidente recebe um boletim apontando as vulnerabilidades mais diversas que assolam a nação. O que aconteceria se esse boletim fosse publicado com todos os detalhes terríveis? A verdade é que se todos nós soubéssemos, a cada manhã, aquilo que o presidente e seu diretor de inteligência sabem, a vida como a conhecemos se tornaria inviável. Numa era de ininterruptas transmissões noticiosas e de redes sociais, até os eventos mais inexpressivos recebem atenção intensa. São realizados trinta mil voos comerciais diários nos EUA;[1] mas se no meio disso tudo apenas um avião cair, toda a atenção se voltará para esse evento. Por que isso é assim? Não é por causa da perda de vidas, pois mais vidas são perdidas a cada dia em acidentes automobilísticos, sem falar das mortes por causas naturais. É porque acidentes aéreos são lembranças vívidas da vulnerabilidade, ainda que pequena, das viagens aéreas que são parte da vida de milhões de pessoas.

Como vimos anteriormente, seres humanos dedicam uma desproporcional parcela de atenção e energia (ainda que compreensivelmente) à possibilidade de perda, mesmo quando isso vem às custas de ação significativa. Imagine se a cada dia fôssemos expostos às ameaças credíveis à nossa segurança que são garimpadas diariamente pela vasta rede nacional de inteligência. Não há dúvida de que teríamos dificuldade em pensar ou em fazer qualquer outra coisa. A nação seria consumida pelo medo e, pior ainda, por preconceito, hostilidade e preparação irracionais. Ainda que todos tivéssemos toda a informação que o presidente e seus assessores conhecem, haveria muito pouco em termos de ação significativa que a maioria de nós poderia realizar para impedir a ameaça. (Isso sem mencionar as novas ameaças que surgiriam pelo fato de informação sensível como essa ser dada publicamente.) Cairíamos de cabeça em Sofrimento, muito mais conscientes de nossa vulnerabilidade, mas não possuindo qualquer autoridade para enfrentá-la. Enquanto isso, estaríamos distraídos dos lugares — lares, bairros, comunidades, negócios e organizações — onde temos um equilíbrio adequado de autoridade e vulnerabilidade e o verdadeiro chamado e capacidade de ação.

Pense na companhia *startup* de David. O que aconteceria se ele começasse a descarregar sobre a sua equipe, todos os dias, as preocupações que o impediram de dormir na noite anterior? Essa revelação poderia muito bem tornar impossível que qualquer membro da equipe se focasse em seu trabalho naquele dia; um trabalho que, no longo prazo, poderia aumentar a autoridade da firma. De qualquer forma, muito daquilo que não deixa David dormir são questões que somente umas poucas pessoas na companhia têm de fato a capacidade e a responsabilidade de tratar. Revelar essas vulnerabilidades para toda a equipe seria unicamente somar às vulnerabilidades sem adicionar qualquer coisa à autoridade deles. Seria levá-los mais profundamente ao Sofrimento, não para o quadrante superior e à direita do Desenvolvimento.

O chamado à dignidade

Isso nos leva a um paradoxo que é frequentemente difícil para pessoas privilegiadas entenderem. Quanto mais uma comunidade experimenta vulnerabilidade compartilhada sem autoridade — quanto mais a pobreza e a opressão moldaram a experiência da comunidade — tanto mais provável será que a liderança transformadora de dentro daquela comunidade precisará carregar a vulnerabilidade oculta.

Em diversos momentos de minha vida, tenho tido o privilégio de adorar e de trabalhar em igrejas afro-americanas. Como um jovem branco, passaram-se muitos anos até que eu compreendesse a razão de líderes nas igrejas negras incorporarem com tanta frequência aquilo que inicialmente pareceu para mim uma dose excessiva de autoridade visível. Quando um pastor veste um terno caro, dirige um carro do ano, é protegido por um grande contingente administrativo e formalidades, ele mostra pouquíssima vulnerabilidade aparente ao mundo. Líderes assim parecem residir perigosamente próximos ao quadrante Exploração, sobretudo aos olhos dos de fora. Nas igrejas de profissionais de classe média, esperamos de nossos líderes um traje mais casual e uma postura emocional transparente.

Entretanto, entendi aos poucos que os líderes das igrejas negras de fato carregam uma dose tremenda de vulnerabilidade, mesmo que isso não seja imediatamente aparente. Sua vulnerabilidade pode ser pessoal: é cada vez menor o número de brancos americanos que dirigem carros do ano e sofisticados que são parados pela polícia simplesmente por suspeição de que o veículo não pertença a eles. Muitos pastores negros, porém, têm experimentado esse insulto a sua dignidade e suas realizações. Mais importante que isso, como representantes de uma comunidade historicamente subjugada, pastores negros vivem cada dia carregando o fardo quase impossível de carregar de uma *comunidade* moldada por opressão e violência, preconceito e ignorância.

A reação adequada a essa vulnerabilidade oculta é de fato dignidade pública.

A reação adequada a essa vulnerabilidade oculta é de fato dignidade pública, representando a comunidade não apenas em sua vulnerabilidade, mas em sua autoridade dada por Deus como aqueles que são criados à sua imagem. Pode até ser apropriado para um pastor numa comunidade privilegiada e poderosa enfatizar sua vulnerabilidade ao dizer: "Pode me chamar de Dan". Contudo, é inteiramente apropriado para um pastor numa comunidade vulnerável modelar sua autoridade e esperar ser chamado, especialmente em público, por seu título completo, nome e sobrenome.

É claro que podem existir líderes exploradores numa igreja negra, da mesma forma que em qualquer sistema social — incluindo também igrejas brancas, nas quais líderes podem usar a transparência e humildade como uma máscara para a manipulação. No entanto, liderança sadia num contexto de opressão frequentemente requer níveis de autoridade visível que podem parecer insalubres em outro lugar. O que traz esperança transformadora num contexto de sofrimento é a presença de líderes que equilibram a vulnerabilidade da *comunidade* com sua própria autoridade *representativa*. E quando passamos verdadeiramente a conhecer os líderes mais fiéis e corajosos nas igrejas negras ou em qualquer comunidade de minorias, começamos a entender que, em contextos de opressão, a autoridade é ela mesma um grande risco e um chamamento muito vulnerável.

Apresentações enganosas

Um dos rituais associados com o discurso em público é a "introdução", na qual os apresentadores dão o seu melhor para honrar o palestrante convidado — e, talvez, convencer o auditório de que a apresentação será digna de seu tempo e atenção. Como resultado, quando eu piso num palco para falar, alguém frequentemente fará grandes esforços para me apresentar como uma pessoa capaz de ação significativa. É muito raro que alguma vulnerabilidade seja mencionada. As introduções que fazem de mim em geral fazem referência a meu emprego atual — ninguém nunca menciona que fui demitido há quinze anos (e que por isso muitos investidores perderam dinheiro). Usualmente, citam minha esposa e família — ninguém jamais menciona meus relacionamentos românticos fracassados na faculdade e no início da vida adulta. Quase sempre fazem menção a meus livros publicados — mas nunca observam que meus dois primeiros livros foram terminados com atraso, anos mais tarde, devido à procrastinação, ao perfeccionismo, à luta espiritual e à covardia pessoal.

Nada na apresentação prepara meu auditório para que me veja, seja qual for a condição em que eu esteja, como alguém que vive *tanto* na autoridade *como* na vulnerabilidade. Tudo isso me retrata, de forma não realista, como alguém que possui autoridade sólida. (Algumas vezes, isso acontece até ao ponto da total imprecisão, quando por exemplo me apresentam, apesar de não ter o grau, como "doutor Crouch".) Quando subo à plataforma, ninguém na sala está pensando em minha exposição ao risco — exceto eu. Enquanto aguardo para falar, e enquanto falo, se não for disciplinado e cuidadoso, minha mente percorrerá as minhas várias vulnerabilidades naquele momento. Estou intensamente consciente dos riscos que estou correndo — embora, com raras exceções, ninguém mais na sala saiba de qualquer um deles.

Há pouco tempo, comprei um novo par de sapatos sociais e os usei pela primeira vez quando fui falar em público. Depois que a calorosa e elogiosa introdução terminou, levantei-me de meu lugar e senti que a novíssima sola do sapato em meu pé esquerdo quase escorregou e por pouco não perdi o equilíbrio no chão de madeira polida da plataforma. Ninguém na sala percebeu que eu quase levei um tombo fenomenal; mas, pelos próximos vinte minutos, cuidei muito de cada passo que dava. O auditório nada sabia dessa vulnerabilidade. Muito menos ainda as pessoas imaginavam as vulnerabilidades em minha vida que, como acontece com todas as vidas, têm muito maior duração e profundidade: os relacionamentos rompidos, as grandes decepções, os pecados persistentes. Todas essas coisas, porém, estão comigo em cada momento de minha liderança, não importando o quanto de autoridade me tenha sido concedida.

E é assim mesmo que tem de ser. Isso porque se qualquer um de nós — e mais ainda aqueles que receberam a incumbência de liderar — demonstrasse completa transparência a respeito das dimensões da vulnerabilidade em nossa vida, nada mais seria feito. Seria o mesmo que se cada cidadão do país soubesse de cada ameaça ao bem-estar da nação. Se eu oferecesse a cada audiência minha um relato completo de minhas exposições à perda, tanto presentes e passadas como futuras, eu seria para essas pessoas nada mais que uma distração.

Uma coisa é certa: esses auditórios não têm nenhuma autoridade nessas vulnerabilidades — nenhuma capacidade de ação significativa para resolvê-las. Outros em minha vida têm essa autoridade: meu supervisor, meus amigos, meus confidentes e minha esposa. Mas uma sala cheia de estranhos poderia apenas ouvir, com condescendência ou assombro, a realidade de minha vida fracassada, e a mesma coisa aconteceria com qualquer outro palestrante.

Existe, ainda, uma outra e mais profunda razão para que uma exposição infindável de vulnerabilidades pessoais se torne o oposto de liderança nesses tempos. Quando eu estou falando, meu chamado mais profundo é o de ajudar a comunidade a carregar a vulnerabilidade da *comunidade*. Cada pessoa no auditório tem a sua própria ladainha de dificuldades, perigos e dúvidas. No entanto, para servi-los bem é necessário focalizar direta ou indiretamente *aquelas* realidades, não aquilo que me deixa preocupado naquele dia específico.

Nada disso quer dizer que os líderes, seja qual for seu contexto cultural, devam ser fortalezas inexpugnáveis de falsa autoridade. Certamente, não quer dizer que líderes nunca expõem suas comunidades à realidade dos riscos que eles mesmos enfrentam e às perdas que precisam carregar. Quer dizer apenas que quando líderes assumem riscos, incluindo o risco da exposição de si mesmos, eles o fazem *para o benefício da autoridade e da vulnerabilidade apropriadas de outras pessoas*. Essa é uma dimensão na qual a liderança é sempre um serviço: ela será sempre para o desenvolvimento pessoal de outros, não de si mesmo, e é sempre direcionada para a autoridade de outras pessoas, não da nossa própria.

Esteja certo disto: liderança transformadora ajuda as pessoas a ver e a trabalhar vulnerabilidade real. Os líderes, contudo, existem para contrapor essa vulnerabilidade, tanto quanto for possível, com autoridade proporcional. Assim, nosso trabalho é muitas vezes o de elevar a autoridade de outras pessoas enquanto gradativamente, de forma proporcional e intencional, alertamos as pessoas sobre vulnerabilidades (inclusive as nossas próprias limitações, pontos fracos e cegueira). Enquanto isso, devemos carregar a vulnerabilidade que os outros não veem e, às vezes, nunca verão. Vulnerabilidade oculta é o preço da liderança.

Como Max De Pree gosta de dizer: "Maus líderes produzem dor. Bons líderes carregam a dor".

Ou, como Max De Pree gosta de dizer: "Maus líderes produzem dor. Bons líderes carregam a dor".

Esgotamento

Esse é um assunto perigoso. Uma identidade pública que enfatiza autoridade às custas da vulnerabilidade — mesmo quando sabemos como nós e nossas comunidades somos vulneráveis — corre constantemente o risco de deslizar para a idolatria e injustiça. Instituições e comunidades têm sempre a esperança, se não a exigência, de que seus líderes lhes assegurem que também elas possam viver com o tipo de vulnerabilidade que imaginam que seus líderes possuem. Em seu pior momento, a liderança se torna um exercício de engano mútuo, em que tanto o líder quanto a comunidade asseguram um ao outro que não têm nenhuma vulnerabilidade para carregar, que autoridade sem vulnerabilidade é algo possível.

No entanto, a lacuna entre o público e o privado pode tomar formas ainda mais perigosas. É frequente a percepção que as pessoas têm de que não é somente menos vulnerabilidade que o líder realmente carrega, mas também de que ele possui *mais autoridade*. Os outros nos veem como se residíssemos no quadrante IV, mas sabemos que a nossa verdadeira realidade é muito mais parecida com a do quadrante do Sofrimento (ver a figura 6.3).

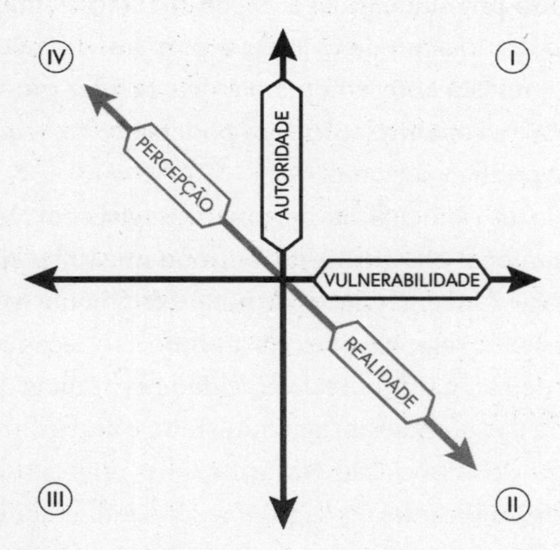

Figura 6.3. Esgotamento

Não raro, líderes possuem bem menos autoridade do que os outros supõem. Uma aparentemente importante CEO está sob a ameaça de ser demitida pelo comitê gestor da empresa se os próximos resultados financeiros não melhorarem. O pastor que prega sermões eloquentes está, na verdade, fora de conexão com a oração, com momentos a sós com Deus e com a graça — as fontes da verdadeira autoridade espiritual — e está definhando com a luxúria, o medo e a amargura. O ator amado por todos não consegue controlar um vício que o consome e o isola.

E isso não é apenas uma lista de exemplos genéricos; existem nomes de pessoas reais por trás de cada um dos exemplos mencionados. Uma das fotos mais icônicas já publicadas nas páginas da revista *Christianity Today* foi a do pastor de uma megaigreja, Ted Haggard, num quarto de hotel em Denver, Colorado.[2] Como informa a descrição da foto, Haggard foi aconselhado por sua equipe a deixar de lado as minúcias do ministério diário a fim de escrever e preparar sermões. A imagem que a revista apresentou era a de um líder procurando o isolamento e a contemplação para poder servir a seu crescente rebanho e público nacional.

Todavia, um ano mais tarde, um massagista em Denver que às vezes também era prostituto, afirmou que tinha sido solicitado por Haggard em quartos de hotel exatamente como aquele da foto. As revelações que se seguiram, e o reconhecimento posterior de Haggard sobre a veracidade de muitas das acusações contra ele, afundaram seu ministério e acabaram com sua presidência da Associação Nacional de Evangélicos, além de sacudir a fé de incontáveis seguidores. As vulnerabilidades de Haggard eram muito mais profundas do que se sabia — mas isso também é a verdade em relação a cada ser humano. O que estava num processo de erosão muito mais rápido do que qualquer um supunha era a sua autoridade, a sua capacidade de viver de forma fiel no meio daquelas vulnerabilidades.

Quando a autoridade que os outros percebem em nós está completamente em descompasso com a nossa real vulnerabilidade — quando não existe ninguém que conhece a verdadeira realidade de nossa vida privada de sofrimento ou de desenvolvimento pessoal — então estamos à beira do esgotamento, ou *burnout*. O esgotamento não aflige somente os líderes mais populares e notórios. Ninguém que tenha se envolvido na história deste mundo fraturado está a salvo. Esgotamento é um risco para qualquer pessoa que se importa com o desenvolvimento de outras pessoas. Ele surge de nossos chamados e habilidades mais profundas, mas se alimenta de nosso mais profundo quebrantamento. Quando as pessoas nos elogiam por nosso empenho com uma criança necessitada, com um cônjuge cronicamente doente ou com uma comunidade carente, e no entanto não temos ninguém que saiba de nossa extrema fatiga, decepção ou desespero, a lacuna entre autoridade e vulnerabilidade pode se tornar avassaladora. De fato, o reconhecimento público de nossa autoridade e o elogio por nossa fidelidade podem alimentar o fogo do esgotamento, somando-se à nossa sensação de isolamento em nossa solidão e necessidade.

A única questão é: Como a história termina?

Ele se recusou a entrar

No meu oitavo ano de ministério entre estudantes na Universidade Harvard, eles resolveram fazer uma festa para mim e para Ming, o colíder de nosso ministério. Nossa comunidade no *campus* terminava com um retiro de uma semana, depois dos exames finais. Esses acampamentos de estudantes eram intensos, com ricas experiências de estudo, adoração, oração e comunhão. Mas também podiam ser surpreendentemente cansativos para aqueles de nós que tinham a responsabilidade de dirigi-los. Uma semana de vida em comunidade tendia a expor vulnerabilidades que não seriam detectadas em ambientes menos intensos.

Por alguma razão, ao longo daquela semana, comecei a sentir os sintomas de esgotamento. Eu havia entrado no ministério do *campus* universitário como uma pessoa vinda de fora, um *status* acentuado pela cultura particularista de Harvard. (Recordo-me de uma conversa amigável num jantar nos meus primeiros anos de ministério. Nessa conversa, um estudante descobriu que eu não tinha estudado em Harvard e, com inocente surpresa, afirmou: "Engraçado, você *parece* inteligente!".) Depois de oito anos, eu tinha sido totalmente aceito como membro da comunidade, mas aquelas inseguranças e frustrações do início persistiam.

Também pequenas tristezas tinham se acumulado. No ministério universitário, se tudo correr bem como você gostaria, seus alunos mais chegados, agora já em muitos sentidos seus amigos, saem depois de quatro anos e raramente retornam à sua vida. E, claro, as coisas não são todas tão boas quanto você esperava que fossem. Juntamente com as alegrias extraordinárias do ministério com estudantes universitários — que considero até hoje os anos de maior satisfação em minha vida — também vieram conflitos, decepções, discordâncias e desafios à minha autoridade; consciente ou inconscientemente, foram golpes desferidos contra minhas áreas de vulnerabilidade. Nada disso era incomum, e nada disso era insuportável. Mas tudo isso, depois de duas gerações inteiras de estudantes que vieram à universidade e se foram, estava me desgastando.

Os estudantes planejaram uma festa para quinta-feira à noite, às dez horas, depois que as outras atividades agendadas tivessem acabado. Havia somente uma pauta na agenda: agradecer ao Ming e a mim por nossa liderança no último ano e orar por nós. Era para ser uma festa surpresa, mas eu fiquei sabendo sobre ela na quinta pela manhã. E ao longo do dia, à medida que mágoas e ressentimentos não admitidos vieram à tona, comecei a formar um plano amargurado, que eu mesmo quase não admiti a mim mesmo estar fazendo.

Eu não iria.

Naquela noite, eu iria para o meu quarto, colocaria o pijama, desligaria as luzes e iria dormir. Nada de festa! Minha esposa e eu tínhamos um chalé só para nós. Ninguém iria me incomodar lá, dentro da mata, se as luzes estivessem desligadas. Uma vez que a festa era para ser surpresa, ninguém saberia que eu estava deliberadamente evitando participar dela. Em algum momento, iriam desistir de mim, celebrar sem mim, e deixar que eu dormisse por toda a noite na minha solidão sem perturbação.

O horário chegou, e eu estava deitado na cama, ressentido e aliviado. Eu escaparia de ser celebrado, escaparia de receber agradecimentos, escaparia de ter de ver a manifestação do amor e da gratidão de meus estudantes. Ao escapar de tudo isso, eu poderia manter minha frustração, justificando minha retração emocional mesmo que continuasse a realizar as formalidades da liderança. Esgotado e amargurado, estava progredindo rápida e profundamente para o canto do quadrante III do Recolhimento, preparando-me para dormir como um morto intocável. Nada de festa mesmo!

No entanto, eu não contava com a persistência de minha esposa, Catherine. Ela estava lá aguardando o início da festa e, quando chegou o horário marcado, percebeu que algo não estava bem. Ela percorreu toda a trilha até o nosso chalé e abriu a porta. Cogitei fingir um sono profundo. Mas, na segunda vez que ela me chamou, eu respondi.

"Andy, você não sabe" — mas ela, assim como todos os outros, não tinham ideia de que eu sabia muito bem — "mas há uma festa para você e o Ming agora mesmo. Você tem de ir."

Então, a Catherine recebeu um primeiro e claro vislumbre da dureza do meu coração.

"Não. Eu não vou. Diga a eles que já fui dormir."

Ela ficou chocada. "Eles planejaram isso a semana toda. Todo mundo está esperando por você." Isso só me deixou mais envergonhado e determinado.

"Eu não vou." Agora ela podia ouvir a amargura em minha voz, um recolhimento distante que surgiu por causa de raiva injustificada.

"Você tem de ir", ela disse. E aqui é onde a minha esposa exerce tanto autoridade e vulnerabilidade: à medida que apelava a mim, ela estava chegando perto de lágrimas e se tornou cada vez mais insistente. Ela não me deixaria permanecer lá em minha dor insignificante e ingrata. Ela ganhou a discussão e, em certo sentido, provavelmente salvou minha vida.

Vesti-me, caminhei pela trilha até o prédio principal e, quando entrei pela porta, o salão irrompeu em vivas. Ninguém sabia onde eu tinha estado nem a razão de meu atraso — sabiam apenas que eu tinha chegado e que eles podiam começar a celebrar. A festa começou.

Já tive alguns poucos momentos de pura graça em minha vida — de abundância totalmente imerecida, indevida e injustificada. A festa, que aconteceu completamente a despeito de meus melhores esforços para sabotá-la, foi uma amostragem do céu. Essa mesma festa foi planejada na nossa cara, enquanto tentávamos o nosso melhor para destruí-la. Era como se o filho mais velho da parábola do filho pródigo tivesse decidido, no fim das contas, participar da festa, e aconteceu que tudo tinha sido planejado para ele todo o tempo. Quando a noite terminou, os estudantes deram para Ming e para mim incontáveis envelopes com recados de agradecimento, cheios de ternura e bondade. Tenho esses recados ao alcance de minha mão, à medida que escrevo, quase vinte anos depois, num arquivo denominado "Encorajamento". Suponho que poderia, também, ser rotulado "Desenvolvimento".

A vulnerabilidade oculta de Jesus

De todos os seres humanos que já viveram, foi Jesus quem viveu de forma mais completa na plenitude da autoridade e da vulnerabilidade.

A autoridade de Jesus era evidente a todos. A cada momento na narrativa dos evangelhos, vemos Jesus exercendo uma capacidade sem paralelo de ação significativa e restaurando a autoridade dos marginalizados e pobres.

Entretanto, ninguém compreendeu plenamente a vulnerabilidade de Jesus. Os que estavam ao seu redor não entenderam quase nada de seu verdadeiro propósito e desígnio. Os escritores dos evangelhos nos dizem que mesmo quando Jesus começou a explicar a seus discípulos sobre o destino que o aguardava, em Jerusalém, eles se opuseram e não compreenderam. À medida que seu ministério chegava cada vez mais perto do confronto final com as forças da idolatria e da injustiça, somente Jesus entendeu o que estava de fato a ponto de ser perdido.

Vemos Jesus explicando passo a passo sua vulnerabilidade aos discípulos. Por três vezes ele prediz sua prisão e morte. Quando foi ungido por uma mulher na casa de Simão, um ato que qualquer israelita entenderia como sinal de majestade — uma proclamação de autoridade —, ele reinterpreta a extravagante dádiva da mulher como preparação para o seu sepultamento — um reconhecimento de vulnerabilidade. Quando se reuniu com os discípulos para o jantar na noite antes de sua prisão, ele falou de seu corpo e seu sangue e da verdade sombria de que seria traído por um membro de seu círculo apostólico. Contudo, nada disso parece ter penetrado de fato na mente e na imaginação de seus companheiros — pelo menos, não de seus companheiros homens. Estes permaneceram fixados nos sonhos de um Messias que iria libertar Israel de seus inimigos e fazer com que obtivessem de direito a possessão de sua terra. Até mesmo no momento do aprisionamento de Jesus no jardim, um de seus seguidores recorreu a um ato de violência para afastar o fim trágico.

Jesus carregou não apenas o conhecimento de seu próprio destino pessoal, mas também um claro conhecimento dos riscos que pendiam sobre a cidade de Jerusalém — o conhecimento de que, em uma geração, a cidade seria arrasada até o chão à medida que os romanos acabassem com a revolta judaica de uma vez por todas. Também esse conhecimento ele compartilhou com seus discípulos, mas o peso total disso tudo recaiu sobre Jesus somente. Entretanto, além do destino do povo, da terra e do templo, podemos supor que mesmo o totalmente humano Jesus de Nazaré tinha alguma compreensão da completa exposição à perda daquele que era o próprio Deus, uma compreensão que envolve uma revolta total em todos os tempos, lugares e dimensões cósmicas contra aquele que é a Palavra, por meio de quem se originaram todas as coisas, uma rebelião que só poderia ser redimida por seu próprio sacrifício e substituição.

Vemos a autoridade e a vulnerabilidade de Jesus aparecendo juntas de forma admirável na cena que chamamos de transfiguração. A cena apresenta Jesus levando consigo seus três seguidores mais próximos para o alto de uma montanha;

ali foi transformado diante deles num ser de glória resplandecente, acompanhado de Moisés e Elias. Pode parecer que essa cena representa autoridade plena, e foi assim que a igreja normalmente a interpretou. Mas ela é muito mais do que isso. Lucas nos conta que aquilo que as três gloriosas figuras discutiam dizia respeito à "partida de Jesus, que estava para se cumprir em Jerusalém" (Lc 9.31). A conversa deles não tratava do poder de Jesus, mas de sua condenação e crucificação que estavam próximas.

No momento em que seus seguidores estão sem uma noção clara do que está por vir, Jesus fala com dois dos maiores líderes de Israel, Moisés e Elias, acerca do grande risco à sua vida e a toda vida. O que é revelado no monte da transfiguração não é autoridade somente, mas sim autoridade com vulnerabilidade, poder com autonegação, divindade com humanidade — vida que não pode ser vencida e morte iminente.

Será que a transfiguração foi um evento que ocorreu para o benefício de Pedro, Tiago e João? Isso parece bem improvável, uma vez que eles estavam quase dormindo, confusos e sem entender claramente o que acontecia diante deles. É muito mais provável que a transfiguração revela a absoluta necessidade de comunhão com os outros a fim de sustentar uma vida de desenvolvimento pessoal. Jesus, que procurou regularmente a comunhão com seu Pai, subiu ao monte para buscar a companhia daqueles que, como ele, tinham carregado autoridade e vulnerabilidade em favor de Israel. Eram eles que podiam antever claramente com ele aquilo que seus próprios

> Ninguém é capaz de fazer com que vulnerabilidade oculta se torne desenvolvimento sem amigos.

discípulos eram incapazes de fazer, que podiam falar com ele sobre os riscos que ele estava escolhendo correr e fortalecê-lo em sua jornada final para a cidade que ele amava e pela qual havia chorado.

É perigoso estabelecer quaisquer paralelos simples entre essa extraordinária história e nossa pequena vida, mas o evento da transfiguração nos revela, pelo menos, uma verdade universal: ninguém sobrevive à vulnerabilidade oculta sem companheiros que possam nos compreender. Ninguém é capaz de fazer com que vulnerabilidade oculta se torne desenvolvimento pessoal sem amigos. Nunca poderemos revelar plenamente nossa vulnerabilidade para todo o mundo, mas nunca poderemos sobreviver com nossa vulnerabilidade sem companheiros dispostos a carregá-la conosco.

A transfiguração, juntamente com tudo que se seguiu, nos conduz agora para outro tema paradoxal na vida daqueles que trarão desenvolvimento pessoal às pessoas no mundo. Somos convocados a arriscar a vulnerabilidade oculta, encontrando um modo de carregar autoridade sem que ela se torne um ídolo ou tirano. Mas também somos chamados a um sofrimento muito visível, a uma jornada pelo quadrante que fica no lado de baixo e à direita — a descer ao mundo dos mortos.

7
Descer ao mundo dos mortos

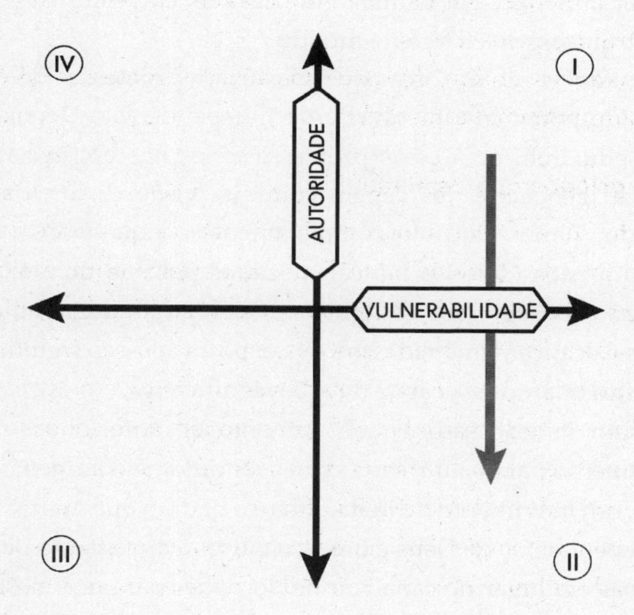

Este é sem dúvida o maior paradoxo do desenvolvimento pessoal: ele é encontrado do outro lado do sofrimento — especificamente, em nossa disposição de acolher ativamente o sofrimento. O casamento entre autoridade e vulnerabilidade, que é nosso alegre destino como portadores da imagem de Deus, só é possível se estivermos prontos para carregar vulnerabilidade sem autoridade.

A nossa missão no mundo é ajudar pessoas e comunidades

inteiras — ou seja, toda a humanidade — a subir ao quadrante de cima à direita. No entanto, para fazer isso, especialmente para libertar os que sofrem mais por causa de idolatria, vício, injustiça e tirania, exige-se de nós irmos aonde ninguém quer ir: a exposição voluntária à dor e perda.

Por que isso é necessário? Por causa do extraordinário domínio que os ídolos têm no mundo.

Os ídolos são as forças que sussurram promessas de controle, de poder invulnerável e de independência. Depois de nos seduzirem com essas promessas, eles nos escravizam a suas exigências e nos cegam com sua visão distorcida do mundo. Temos sido tão completamente conquistados pelas mentiras dos ídolos, e tão escravizados por sua dominação, que não conseguimos compreender verdadeiramente, muito menos alcançar, uma vida que seja exposta ao risco significativo tanto quanto seja capaz de ação significativa.

Num mundo sadio, cada aumento de autoridade, cada movimento para o alto, seria correspondido pelo aumento em risco, um movimento à direita. Esse é o padrão que nos manteria dependentes de Deus e uns dos outros, capacitando outras pessoas em lugar de canalizar nosso poder para nós mesmos e, assim, descobrindo novas dimensões do desenvolvimento. Mas no mundo tal qual o conhecemos, atos de autoridade frequentemente nos protegem do risco em lugar de nos abrir para ele. Há algo na própria essência do universo, algo que nos impede de transformar autoridade em desenvolvimento pessoal — estamos propensos à direção da exploração, do privilégio e da segurança. Tal é o poder das mentiras que têm se insinuado na história humana desde o princípio.

Todos nós somos atormentados pelas forças da idolatria e da injustiça, mas quando assumimos responsabilidade pelo desenvolvimento de outros ficamos ainda mais expostos ao poder dessas forças. Ainda que líderes carreguem vulnerabilidade real, como vimos no último capítulo, ela estará necessariamente encoberta para as pessoas a maior parte do tempo. E mesmo quando — e, talvez, especialmente quando — líderes estão na situação mais vulnerável possível, o resto de nós persiste em percebê-los como invulneráveis. Queremos vê-los dessa maneira; precisamos vê-los dessa maneira para que não encaremos a realidade de nossa própria vulnerabilidade. Não interessa o quanto líderes busquem a integridade e o desenvolvimento pessoal, as forças que impedem que sua verdadeira vulnerabilidade seja vista são profundas e poderosas. De fato, não seria muito ousado dizer que essas forças são demoníacas. Cada líder e cada comunidade, quer gostemos quer não, estão envolvidos na rebelião cósmica que nega que vulnerabilidade conduz ao desenvolvimento pessoal.

O que poderia, de fato, quebrar o poder dessa rebelião? Se alguém pudesse drasticamente esvaziar-se de autoridade, se voluntariamente abrisse mão da capacidade de ação significativa, se fosse entregue às forças mais exploradoras em nosso cosmos e entrasse no mundo dos mortos, o domínio daqueles que perderam toda a capacidade para agir, e se essa mesma pessoa pudesse voltar, resgatada, total e verdadeiramente viva, com muito mais autoridade do que jamais vimos ou imaginamos — um sacrifício e vitória tão completas assim poderia desmascarar em definitivo a mentira que está no coração de toda exploração.

Por causa de um sacrifício e um triunfo assim, seres humanos poderiam ser libertos de suas fantasias de autoridade sem vulnerabilidade. Veriam com os próprios olhos e tocariam com as próprias mãos a prova de que o poder de Deus é maior até que a morte — saberiam que nada nem ninguém pode estar absolutamente perdido quando Deus age a fim de resgatar e restaurar. Até mesmo as pessoas mais comuns que testemunharam tal esvaziamento, reversão e absolvição poderiam ver-se com uma autoridade com a qual ninguém jamais imaginaria poder possuir, com uma coragem para assumir risco que não tem precedentes mesmo em suas próprias histórias. Poderiam ser arrastadas aos pátios, cortes e tribunais onde os ídolos do mundo imperam, trazidas à presença dos mais poderosos representantes de todo o sistema cósmico de exploração e, ainda assim, se conduzirem com plena autoridade e serenidade. Elas poderiam se tornar agentes da remoção gradativa, mas implacável, dos ídolos e de suas mentiras, mesmo quando esses ídolos fizessem o seu melhor para conseguir os piores resultados, mandando esses representantes do verdadeiro desenvolvimento para a tortura e a morte.

Pessoas assim poderiam começar a pôr o mundo de cabeça para baixo.

A cruz do rei

Há no Credo Apostólico uma frase antiga e tão estranha que alguns cristãos, e algumas igrejas, omitem totalmente: *descendit ad inferos*, "ele desceu aos mortos", ou, mais vividamente, "ele desceu ao inferno". A frase faz referência à ideia hebraica do Sheol, o mundo dos mortos. Nos primeiros séculos, cristãos chegaram à crença de que no Sábado de Aleluia, o dia entre a Sexta-feira Santa e a Páscoa, de alguma forma Cristo foi até aquele domínio a fim de libertar os "espíritos em prisão" (1Pe 3.19), estendendo os benefícios de sua ressurreição àqueles que tinham vivido e morrido muito tempo antes. A Igreja Ortodoxa tem um ícone chamado "Destruição do Inferno" que mostra Jesus, triunfante sobre a morte, trazendo Adão e Eva pelas mãos — na maioria das versões do ícone eles parecem estar assustados — e levantando-os de seus túmulos.

Seja o que for que aconteceu no Sábado de Aleluia, o mais solene dos sábados, o dia em si é tão crucial para a plena verdade do senhorio de Jesus quanto a Sexta-feira Santa e o Domingo de Páscoa. Existe uma lacuna — naquele primeiro Sábado, teria soado mais como uma separação — entre a morte de Jesus e sua ressurreição. Duas noites passaram sem qualquer sinal aparente de esperança. Seu corpo permanece frio na sepultura, seus amigos tremem diante de sua total exposição à vulnerabilidade. Jesus bebeu do cálice da ira até o último gole. Não é o caso de ele ter apenas um gostinho da morte, cuspir fora e voar para o céu. Ele desceu ao mundo dos mortos, e ali ele ficou, a julgar pelo que seus discípulos viram e souberam desde a Sexta-feira até o Domingo.

Existe algo profundo no coração humano que sabe que o último inimigo a ser vencido é a morte. A morte não é o último inimigo somente porque tira a vida, mas por causa do medo da morte que impede a vida real. O medo da perda priva nosso mundo de muito mais vida e desenvolvimento do que qualquer perda real que possamos sofrer.

No entanto, a morte não é uma miragem. A perda é real, o risco de perda é real, e a vulnerabilidade é real. Aqueles que desejam fazer com que a perda desapareça, que prometem ação sem risco e vida sem vulnerabilidade, eles mesmos são parte do próprio sistema destrutivo que garante o sofrimento, a perda e a morte. Apenas aqueles que enfrentaram a perda, que beberam do cálice de vulnerabilidade não diluída — e que foram resgatados por um poder infinitamente maior que o seu próprio nas profundezas de sua maior necessidade

— podem oferecer esperança mais forte do que a palavra de temor dos ídolos.

A descida aos mortos encontra seu percurso no meio de mitos que moldam a nossa e, provavelmente, toda cultura. Em nosso mundo de entretenimento leve, podemos até nos contentar com heróis que somente *parecem* morrer — nenhum filme é completo sem o penúltimo momento de desespero, quando tudo parece perdido, e na sequência ocorre a inevitável, embora surpreendente, reversão que leva à vitória. Contudo, as nossas histórias mais envolventes — as fábulas modelares que formam nossas esperanças e temores mais profundos — reconhecem que o mero perigo não é o bastante para o verdadeiro heroísmo. Somente quando alguém realmente sacrifica tudo, bebe do cálice até ele ficar vazio e retorna para contar a história, é que podemos crer que a vitória é conquistada.

A saga Harry Potter, de J. K. Rowling, tão leve em seus primeiros livros, situa seu herói, no momento apoteótico do sexto livro, em uma caverna com seu amado mentor Albus Dumbledore, onde Harry deve forçar Dumbledore a beber dez vezes de uma taça envenenada. Depois, eles sobem até o parapeito de Hogwarts, onde Dumbledore ordena a sua própria morte a fim de salvar a vida, e muito possivelmente a alma, de uma das personagens mais desprezíveis dessa série de livros. No sétimo livro, é o próprio Harry que precisa se entregar à morte. No outro lado desse sacrifício, ele encontra Dumbledore mais uma vez numa versão do outro mundo da estação de trem chamada

Verdadeiros finais felizes são conquistados somente com o mais alto preço. Nenhum rei é verdadeiramente rei sem uma cruz.

King's Cross. A coleção de livros infantis mais amada de nosso tempo — ou, talvez, de todos os tempos — não tem nenhuma hesitação em seu entendimento de que verdadeiros finais felizes são conquistados somente com o mais alto preço, e que nenhum rei é verdadeiramente rei sem uma cruz.

Dessa forma, a frase *descendit ad inferos* não diz apenas algo importante sobre a extensão do sofrimento redentor de Jesus — a profundidade com que ele participou da perda humana, a abrangência de seu poder salvador — mas, também, sobre a natureza da vida e da liderança que imita a Cristo.

Somente quem desceu ao mundo dos mortos pode receber todo o crédito para liderar, porque somente essas pessoas podem, de fato, declarar que venceram o medo que dá vitalidade a toda idolatria e exploração.

Como descer

"Era a primavera do ano acadêmico, e eu estava com problemas." Essas foram as primeiras palavras da palestra do início do ano letivo do diretor presidente, Philip Ryken, na Faculdade Wheaton em 27 de agosto de 2014, o primeiro culto do outono.[1] Ryken não estava se referindo a um período de dificuldades, de uma primavera distante, durante seus anos de estudante. Ao contrário, com o título "Ninguém sabe dos meus problemas", ele descreveu seu declínio para uma depressão profunda, apenas alguns meses antes, a ponto de "eu me perguntar se ainda tinha vontade de viver".

A cerimônia do início de ano letivo em Wheaton é uma ocasião formal, e Ryken vestia a beca que sinalizava seu treinamento acadêmico e seu ofício — os sinais de autoridade. Como pastor presbiteriano que é, Ryken leu um discurso escrito e cuidadosamente composto. O conteúdo de sua palestra, contudo, era a experiência nua e crua de alguém que entrou na noite mais escura da alma. Ele somente conseguiu emergir dessa experiência graças ao amor persistente da família e amigos e à graça de Deus. "Agora que estou fazendo este discurso", brincou ele, "talvez eu devesse dar-lhe o título de 'Todo mundo sabe dos meus problemas'."

Para qualquer um de nós, e mais ainda para o diretor de uma faculdade, falar de forma tão direta a respeito de nossos momentos mais sombrios seria um risco considerável. Ainda assim, nos meses seguintes àquele discurso, toda vez que conversava com algum membro da comunidade de Wheaton sobre os temas da liderança e da autoridade sadias, vinha à tona a honestidade não forçada de Ryken. Isso fez dele um tipo diferente e melhor de líder — e também fez da faculdade uma comunidade diferente e melhor.

Dezenove milhões de pessoas assistiram à palestra do TEDxHouston que tornou Brené Brown um nome celebrado da casa (pelo menos no que se refere aos habituais espectadores do TED). A palestra começa de forma cativante, com Brown narrando como sua pesquisa para um Ph.D. em trabalho social começou a focalizar a questão do porquê algumas pessoas são tão compromissadas mesmo diante de grande adversidade — capazes de sustentar um sentimento de amor e pertencimento. No entanto, dez minutos no decorrer da apresentação aconteceu uma virada marcante, quando Brown descreve o modo pelo qual ela mesma começou a buscar, de forma pessoal, o tipo de vulnerabilidade que estava descobrindo nas pessoas mais sadias que eram objeto de sua pesquisa. De repente, estamos ouvindo não apenas palavras sábias de uma pesquisadora experimentada, mas a confissão nua e crua e irônica de um outro ser humano. "A definição de pesquisa é controlar e predizer

— e, agora, minha missão de controlar e predizer produziu a resposta de que a maneira de viver é com vulnerabilidade e de parar de controlar e predizer", disse ela para seu auditório. "Isso me levou a uma pequena pane — eu chamo isso de pane; meu terapeuta chama de despertamento espiritual."

A enxurrada de admiração e afeição que resultou da fala de Brown é sinal daquilo que tantas pessoas estão famintas por encontrar: não só o conhecimento que ela maneja tão habilmente, mas a honestidade que ela oferece tão livremente.

Meu amigo Jim é um professor com cadeira permanente num importante departamento de pesquisa de uma universidade na qual a maior parte dos professores é mais temida do que amada. No entanto, Jim é admirado e, na verdade, amado pelos estudantes da graduação que ele supervisiona. Em parte, graças a seus talentos, seu caráter e simplesmente à boa sorte, o fracasso e a perda têm sido surpreendentemente algo menor em sua vida. Mas eles têm grande destaque em sua influência. "Aprendi muito ao longo dos anos sobre como estar focado e ser eficiente em meu trabalho. Quando compartilho maneiras de administrar melhor o tempo, ou de fazer decisões de carreira eficazes, meus estudantes respeitosamente me dizem que isso os ajuda", disse-me ele um tanto desconsolado. "Mas o que realmente importa para eles é quando compartilho meus fracassos." De certa forma, saber que uma pessoa tão bem-sucedida ainda assim experimenta decepção e frustração acaba conferindo mais poder do que simplesmente saber os segredos de seu sucesso.

Cada uma dessas pessoas encontrou — ou tropeçou sobre — o paradoxo do desenvolvimento pessoal. As ações mais transformadoras de nossa vida são, talvez, os momentos em que esvaziamos radicalmente a nós mesmos, no cenário em que normalmente se espera que exerçamos autoridade. Assim como Jim descobriu, a sua competência ajuda, mas a sua vulnerabilidade transforma. Não se trata da vulnerabilidade manipuladora que tem como alvo primário beneficiar a pessoa que já exerce poder, mas de uma dádiva espontânea de veracidade. Descer ao mundo dos mortos, aceitando uma posição de vulnerabilidade evidente, alcança algo que nada mais consegue.

Esses momentos de descida *ad inferos* são necessariamente raros. Seria estranho, e nada frutífero, se o diretor da Faculdade Wheaton fizesse sua palestra anual de início do ano letivo descortinando sua mais profunda angústia pessoal do ano anterior. Seria massagear o próprio ego se um professor catedrático regalasse constantemente seus estudantes com o relato de seus fracassos. (Os espectadores habituais das palestras do TED podem avaliar por si mesmos se a tocante manifestação pessoal, na marca dos dez minutos, desde que a fala de Brené Brown se tornou viral, acabou sendo um clichê esperado em vez de um sacrifício genuíno.) O tipo de vulnerabilidade a que somos chamados em base diária é muito mais prosaico — e, de sua própria maneira, mais exigente — e examinaremos isso no próximo capítulo.

Comunidades também necessitam de pessoas dispostas a se moverem decisivamente para o quadrante de baixo e à direita, abdicando de autoridade e assumindo uma vulnerabilidade incomum. Ronald Heifetz, professor por muitas décadas de um curso de excelente avaliação sobre liderança na Escola de Governo Kennedy, em Harvard, observa que a responsabilidade básica de cada líder é evitar ser assassinado. Verdade. Muito além do descontrole que um assassinato introduz em qualquer nação ou organização, um líder assassinado não terá, obviamente, qualquer utilidade futura. Heifetz simplesmente observa que líderes devem tomar o cuidado de preservar sua autoridade, sua capacidade para ação — que requer, no mínimo, permanecer vivo —, mesmo enquanto lideram suas comunidades dentro de vulnerabilidade apropriada.

Contudo, uma versão mais exata da máxima de Heifetz seria: você somente poderá ser assassinado uma única vez. Portanto, na medida do possível, a responsabilidade maior de um líder é escolher sabiamente e bem a forma e o momento de sua descida. Na verdade, alguém que não esteja preparado para descer ao mundo dos mortos — a entregar toda a autoridade e aceitar máxima vulnerabilidade — está quase com certeza nas garras da idolatria. Afinal, existe uma outra palavra para alguém que nunca entrega o poder, especialmente aquele que dedica energia cada vez maior a evitar ser assassinado: ditador. Poderíamos ajustar a máxima de Heifetz da seguinte forma: a responsabilidade básica de cada líder é a de se preparar e se planejar para sua descida ao mundo dos mortos.

Por vezes, recebemos mais de uma oportunidade de acolher dramática e publicamente a vulnerabilidade. Nelson Mandela, um líder do movimento armado de resistência na África do Sul chamado Congresso Nacional Africano (CNA), teve seu primeiro momento de descida ao mundo dos mortos quando foi condenado por traição e sentenciado à prisão na Ilha de Roben, um complexo prisional localizado a pouco mais de catorze quilômetros da Cidade do Cabo. Foi ali, alijado de autoridade, que Mandela se convenceu (e começou a convencer outras pessoas) que o CNA devia encontrar um modo de fazer as pazes, com justiça, com o regime do apartheid. No exílio de sofrimento, Mandela adquiriu uma autoridade espiritual que nunca acharia de outro modo. E quando, contra todas as expectativas, o apartheid acabou e Mandela foi eleito presidente da África do Sul, ele tomou ainda outra decisão dramática de se esvaziar de autoridade, deixando sua posição de presidente depois de apenas um mandato a fim de estabelecer um precedente para transições de poder pacíficas e justas. De todas as coisas poderosas que Mandela fez, a passagem voluntária de poder pode ter sido a mais transformadora e influente para a nação que passou a chamá-lo "Tata Mandela", o pai da nação.

Morrendo como liderança

Como podemos "descer ao mundo dos mortos", acolhendo o sofrimento de maneira drástica e transformadora?

Morrendo. Em algumas eras e lugares, fazemos isso ao estar dispostos a morrer literalmente. Enquanto eu preparava este livro para publicação, um jovem rapaz entrou no porão da Igreja Metodista Episcopal Africana "Mãe Emanuel" em Charleston, Carolina do Sul, permaneceu sentado ali por quase uma hora do estudo bíblico de quarta-feira à noite, e então tirou a vida de nove pessoas, incluindo a do pastor titular da igreja, Clementa Pinckney. O reverendo Pinckney tinha 42 anos, era um respeitável membro do senado estadual e um amado servo da igreja, a própria encarnação de autoridade usada de forma correta. Naquela noite, porém, ele se tornou algo maior, mais santo e mais terrível — um mártir pela igreja negra que sofre há muito tempo e de seu testemunho da graça e da verdade diante da injustiça e do racismo. Junto com ele, outros oito morreram, com idades entre 26 e 87 anos. Alguns deles eram ministros ordenados com posições de liderança, outros não. Mas, naqueles momentos horríveis, todos eles se juntaram à multidão de testemunhas da fidelidade de Deus diante do mal.

Ao comentar sobre o martírio dos nove de Charleston, e da subsequente fidelidade da congregação que sobreviveu, a sacerdotisa episcopal e escritora Fleming Rutledge disse: "Eles não estavam prontos" — como alguém poderia estar pronto para uma violência tão súbita e gratuita? — "mas eles estavam preparados." Quando o mal chegou no meio deles, os membros da igreja no porão responderam instintivamente com o sacrifício. Alguns deles se colocaram entre o assassino e seus alvos, mesmo quando suplicavam para que ele reconsiderasse seus planos. E, quando os familiares sobreviventes confrontaram o assassino em uma audiência no tribunal, somente dois dias depois dos homicídios, eles responderam com a oferta de misericórdia e até mesmo de salvação diante do julgamento que viria.

Nenhum de nós pode estar pronto para momentos como esses — em lugar disso, devemos, muito antes, nos treinar na imagem de Cristo para estarmos preparados, caso surja um momento como esse. Porque os nove de Charleston, suas famílias e sua igreja estavam preparadas, aquilo que foi pretendido como o mal máximo se tornou o testemunho mais impressionante do poder do evangelho na vida pública americana em muitos anos. Também desferiu um duro golpe na plataforma do racismo nas instituições e símbolos do Sul dos Estados Unidos.

Graças à misericórdia de Deus, é muito improvável que a maioria de nós enfrente o mal severo que confrontou os nove de Charleston naquela noite, ou que confronta pessoas fiéis em muitos lugares do mundo hoje em dia. Ainda assim, todos nós chegaremos ao fim de nossa vida, e o modo com que abordamos esse fim pode nos dar oportunidades de nos tornar influentes de maneiras que jamais imaginaríamos, de maneiras que quebram o poder dos ídolos que mantêm nossas comunidades aprisionadas. De fato, se não estamos preparados para morrer na presença de outros, é provável que estejamos deixando de desfrutar a comunidade profunda para a qual nós e eles fomos feitos.

Meu último livro foi dedicado a David Sacks, fotógrafo, músico e pai. Seu sofrimento e morte de câncer aos 46 anos se tornou, contra todas as expectativas, um testemunho extraordinário de comunidade, fidelidade e vida que tocou de forma permanente milhares de pessoas em nosso canto da Pensilvânia e além. E este livro é dedicado a Steve Hayner, que estava cumprindo um compromisso como diretor do Seminário Teológico Columbia quando foi diagnosticado com câncer no pâncreas.[2] Steve e sua esposa Sharol viviam, como acontece com os diretores, numa casa de propriedade do seminário. Pouco antes de Steve ter sido escolhido como diretor, o seminário fez uma renovação na casa, com a instalação de um banheiro e suíte no térreo da casa do diretor. A renovação foi designada para acomodar um futuro diretor que poderia adoecer, Steve falou a amigos, "mas nunca imaginei que eu seria o diretor que morreria nesta casa." Nove meses depois de seu diagnóstico inicial, ele morreu naquela casa. Contudo, antes de sua morte, Steve e Sharol escreveram uma série de breves atualizações *on-line*, bem como incontáveis recados pessoais para a família e amigos, que permaneceram firmes em sua honestidade e esperança. Steve desceu ao mundo dos mortos, mas não sem antes deixar para trás um testemunho da graça de Deus no meio de sofrimento e da perda, e uma casa que foi santificada pela dor e pela esperança de seus últimos dias.

Renunciando ao poder. Como Nelson Mandela, todo líder necessita de um plano sobre como renunciar a sua autoridade *antes* que sua própria comunidade imaginaria que o fizesse ou que pedisse isso. É difícil pensar em muitas outras coisas que sejam mais prejudiciais a uma organização do que líderes que não têm um plano sobre como vão passar adiante seu poder. Nenhum líder vive para sempre, e poucos podem e devem fazer como Steve, que liderou até o fim de sua vida natural. Essa responsabilidade não é unicamente do líder — é responsabilidade da comunidade toda prever e planejar para a vida além do tempo de ministério do líder atual. Quando líderes não planejam de forma proativa o fim de seu poder, e quando nós que somos liderados por eles permitimos que alimentem fantasias de influência sem fim, eles são ídolos, não importa quão bem disfarçados estejam.

Confessando o pecado. Em certo sentido, a confissão é uma tarefa rotineira de cada cristão. Admitir nossas faltas e pedir perdão deveria ser tão natural para nós como a respiração, e isso é parte da dança constante entre a autoridade e a vulnerabilidade que nos conduz ao desenvolvimento pessoal. Mas existem também momentos em que se faz uma confissão mais dramática, especialmente quando a vulnerabilidade está oculta e não aparente por um longo espaço de tempo. No capítulo anterior, relatei a história da festa que tentei evitar desesperadamente e da graça que foi derramada apesar de minha amargura. Naquela noite, ninguém sabia como me esforcei para tentar escapar daquela dádiva da graça. No dia seguinte, porém, eu sabia que tinha de contar à comunidade toda a dolorosa e humilhante verdade. É algo indescritivelmente doloroso acabar de ser celebrado e afirmado e, então, ter de revelar quão indigno de celebração e afirmação você realmente é. Ainda assim, fazer isso é também correto, seguro e produz alegria. Na manhã seguinte, depois de ter confessado meu total fracasso, senti-me tão aceito e amado como nunca em minha vida. Não trocaria aquele momento por nada, nem mesmo pela celebração da noite anterior.

Morrer, renunciar ao poder, confessar o pecado, receber e oferecer o perdão — todas essas coisas são meios indispensáveis pelos quais podemos descer ao mundo dos mortos. Ao fazer isso não somente quebramos as amarras dos ídolos, como também restauramos todo tipo de relacionamentos, especialmente com os mais vulneráveis, aqueles que foram destruídos pelos ídolos.

Às vezes, porém, isso não é tão simples. Às vezes, você tem de simplesmente caminhar.

Los gringos que caminan

Na década de 1990, um grupo de advogados peruanos fundou uma organização chamada Paz y Esperanza para tratar das incontáveis injustiças cometidas pelos dois lados na luta relacionada ao grupo insurgente Sendero Luminoso. Com o passar do tempo, com esforço agonizante e, frequentemente, com progresso vagaroso, a Paz y Esperanza tem feito contribuições importantes para o desenvolvimento e o estado de direito em diversos países da América Latina.

Drew Jennings-Grisham é um americano que se associou à Paz y Esperanza em 2001 a fim de ajudar na expansão do trabalho da organização na Bolívia. O evangelho tem sido amplamente pregado na Bolívia, mas a maior parte das comunidades indígenas permaneceu, inicialmente, dependente dos missionários brancos e, depois, de missionários das igrejas urbanas mais empobrecidas, não tendo seus próprios líderes e pastores. Recém-saído da faculdade, Jennings-Grisham percebeu que mesmo um americano com seus vinte e poucos anos receberia uma dose absurdamente grande de autoridade. "As pessoas me veem como um rapaz branco com uma Bíblia entrando em sua comunidade, e me concedem autoridade visível e espiritual.

Nunca me viram antes, não me distinguem de qualquer outra pessoa branca, mas, assim que adentro a situação, sou uma pessoa com poder, porque essa tem sido a experiência deles com os missionários e mesmo com as igrejas urbanas da Bolívia."

Assim, Jennings-Grisham escolheu maneiras mais dramáticas e simbólicas de compartilhar da vulnerabilidade de seus anfitriões indígenas, que também se tornaram seus amigos. Ele evitou os sinais mais comuns associados aos missionários patrocinados pelas nações ocidentais, tais como quartos de hotel e carros utilitários brancos com ar-condicionado, que são a marca de ONGs espirituais e seculares ao redor do mundo.

> Ficávamos nas ruas ao relento quando viajávamos, dormindo na calçada com um cobertor. Não levava nenhuma comida comigo, exceto o que tinha para compartilhar como contribuição a todo o grupo. O povo Ayoreo, com quem viajávamos, era pobre — comiam apenas uma refeição de arroz por dia. Um pastor do povo Ayoreo me disse: "Quando vimos você comer nosso arroz com larvas dentro, vimos que você era diferente". Tudo o que queria dizer, como uma pessoa com poder, era: *Estou completamente destituído de poder agora. Se vocês me deixarem aqui, estarei perdido e morrerei de fome. Se nos perdermos nesta selva, vocês estarão bem, mas eu estarei morto em doze horas.*

Assim como representantes de comunidades altamente vulneráveis têm o direito de se vestirem com símbolos visíveis de autoridade, também os representantes com autoridade não conquistada — por exemplo, "um rapaz branco com a Bíblia" —, quando entram em ambientes de opressão e injustiça históricas, devem sair da zona de conforto e vestir-se com símbolos visíveis de vulnerabilidade. É claro que Jennings-Grisham e outros ocidentais poderiam simplesmente decidir nunca visitar a Bolívia — nunca arriscar as complicações de enfrentar, servir e renunciar seu poder. No entanto, fazer isso deixaria os padrões de injustiça intocados e inalterados. Muito mais desafiador, porém mais frutífero, é entrar em relacionamentos nos quais podemos aprender o que significa tanto conduzir como servir, em que tanto os que possuem privilégios e os que estão alegadamente destituídos de poder podem descobrir um maior desenvolvimento juntos.

Dessa forma, Jennings-Grisham ficou conhecido também como o *gringo* que caminhava para fora de reuniões — não em frustração ou raiva, mas para que sua presença não influenciasse as decisões que eram tomadas. "Começávamos uma reunião sentados à mesa, do jeito que fazem os bolivianos urbanos e os ocidentais", um de seus colegas me falou,

> mas, em algum momento da reunião, Drew se levantava, pedia que todos os ocidentais e os bolivianos das cidades retirassem seus *laptops* das tomadas e o acompanhassem para fora da sala. Você pode imaginar como isso deixava nervosos os bolivianos urbanos! Drew disse: "Nós vamos buscar o almoço para o grupo. Vocês conversem e decidam". Quando voltamos, poucas horas mais tarde, os líderes indígenas tinham retirado a mesa do caminho, sentado num círculo e chegado a uma decisão. O resultado, poucos meses depois, foi uma conferência da igreja, provavelmente a primeira na história do país, que foi planejada e dirigida pelos indígenas bolivianos.

Jennings-Grisham está de volta aos Estados Unidos agora, construindo relacionamentos entre a igreja boliviana e a igreja americana. Na Bolívia, ele e sua esposa são conhecidos com a simples frase: *los gringos que caminan.*

8

Para o alto e à direita

Karl Johnson e eu nos formamos na Universidade Cornell em 1990, embora nunca tenhamos nos encontrado durante nossos anos de graduação. Eu mudei da cidade de Ithaca, Nova York, voltando apenas para visitas, enquanto Karl permaneceu na cidade. Na experiência de Karl, havia duas coisas faltando em Cornell, e ele desejava que os futuros estudantes as tivessem. E, admiravelmente, ele conseguiu implantar as duas.

No ano 2000, Karl fundou um centro cristão de estudos chamado Casa Chesterton, uma comunidade intelectual, espiritual e residencial situada agora numa grande área de moradias na esplanada das fraternidades universitárias.

Mas, antes de começar a Casa Chesterton, Karl construiu a outra coisa que ele achava que faltava em Cornell: uma pista de cordas.

Enfiados no meio da floresta, a dez minutes de carro do centro do *campus*, existem barras de trapézios bem acima do chão da floresta, barras de equilíbrio a cerca de quinze metros de altura e uma réplica da icônica torre do sino de Cornell no fim dos 120 metros de corda tirolesa. Estudantes, grupos corporativos e ocasionalmente ginastas de nível olímpico usam a pista para testar seus limites e desenvolver sua confiança. Ainda é o xodó do Karl, como pode ser visto pelo modo cuidadoso com que ele amarra cada corda, e, embora não trabalhe mais com o programa de Educação ao Ar Livre de Cornell, ele ainda possui uma das chaves de acesso.

No fim de uma tarde de verão, a família do Karl se reuniu com a minha no portão de entrada para uma das experiências de risco mais aterradoras de nossas vidas.

Esta é a piada interna sobre cursos de cordas: eles são a coisa mais segura que alguém pode conceber. Amarrado a um sistema de armações e cordas testado por especialistas, aprovado por advogados, com tripla verificação de segurança e feito com a engenharia mais especializada, capaz de estabilizar cada manobra, eu estava provavelmente mais seguro que jamais estivera em toda minha vida.

Contudo, não era isso que eu sentia no alto de um mastro de nove metros de altura, olhando para uma plataforma de trinta centímetros na frente de meu nariz, que eu devia de alguma forma escalar, permanecer de pé sobre ela e, então, pular. Pular parecia ser a parte fácil. Seria uma ação de empolgante autoridade, mantido em segurança pela armação ao redor do meu peito. No entanto, a perspectiva de colocar mesmo que fosse somente um pé sobre aquela minúscula plataforma — imagine os dois juntos e ficar parado sobre ela com o mastro balançando debaixo de mim — criou dentro de mim a tempestade perfeita. Era a luta entre o medo primal que meu corpo tinha de cair e a vívida antecipação, em minha mente, de como seria constrangedor dar uma ridícula cambalhota no ar na tentativa.

Por outro lado, não tinha como eu desistir completamente e deslizar pelo mastro até o chão. Gritei para Karl, que agarrava a corda de segurança lá embaixo. "Talvez eu pule para o chão agora mesmo", eu disse.

"É claro que você pode fazer isso", ele respondeu num tom de voz equilibrado e seguro. "Mas quando será a próxima vez que você estará no alto de um mastro como esse? Por que desperdiçar essa chance? Que tal tentar apenas se sentar na plataforma?"

Refleti sobre minhas opções, observando minha esposa e meus filhos adolescentes lá embaixo. Então, pensei um pouco mais.

"Vou tentar", disse eu. Meus braços tremiam por causa da adrenalina. Instruído por Karl, consegui alcançar o meio do caminho, a posição de ficar sentado. Então ele disse: "Veja, você está muito perto de ficar de pé. Que tal tentar colocar um pé inteiro na plataforma?".

Consegui colocar um pé, de forma bem justa, na posição. De novo, a voz de Karl: "Você está bem perto mesmo. Aposto que consegue pôr o outro pé também". E eu de fato consegui. Agora, por incrível que pareça, eu estava de cócoras na plataforma.

"Não sei se consigo ficar de pé", disse. Queria ter mantido minha rotina de exercícios de agachamentos e arrancadas, mas naquele mastro balançante a questão era muito mais de equilíbrio do que força.

"Você consegue", disse Karl com voz firme.

Agora, minhas pernas também tremiam. Mas, centímetro por centímetro, mais devagar do que em qualquer outra situação em minha vida, eu gradativamente me coloquei totalmente de pé. Por fim, eu estava de pé em cima da plataforma. Julie, a esposa de Karl, tirou uma foto. Minha esposa e filhos festejaram. Então, com um misto de rugido e gargalhada, pulei no ar.

Toda a nossa família também foi até o alto do mastro naquele dia. Cada um parou onde eu tinha parado, todos convencidos de que não poderiam continuar. Com cada um, Karl encontrou um jeito de orientar para superar nossos medos, gradativamente aumentando nossa autoridade, discernindo e abordando nossa vulnerabilidade. Ele foi a nossa segurança, a corda fixada por meio de roldanas e presa ao redor de sua cintura, mas ele foi também quem nos convidava a assumir mais risco do que achávamos que podíamos suportar.

Karl é um bom líder e um bom amigo. Bons líderes e amigos aumentam nossa autoridade *e* vulnerabilidade, mesmo enquanto avaliam quanta autoridade e quanta vulnerabilidade podemos suportar. Naquele fim de tarde na pista de cordas, nossa família aprendeu algo sobre liderança, e também sobre discipulado. Tínhamos de seguir as orientações de Karl, que havia construído a pista, inspecionado o percurso e treinado nele. Ele nos pediu que experimentássemos nada que ele mesmo não tivesse experimentado, e a confiar em nada que ele mesmo não tivesse tornado confiável. Precisávamos de sua voz do chão da floresta, orientando-nos para progredir adiante do que poderíamos ter ido. Precisávamos de alguém que já tivesse ido aonde ele nos pedia para ir.

Precisávamos de alguém que já tivesse ido aonde ele nos pedia para ir.

A julgar pelos sorrisos em nosso rosto, e da interminável recitação das histórias de nossos triunfos, quedas e fracassos ao longo de semanas depois de nossa visita à pista de cordas, aquilo para o qual Karl nos conduziu era o desenvolvimento pessoal.

Destravando a verdadeira autoridade

A pista de cordas era apenas um jogo, uma simulação da vida real, não a coisa em si. Ginastas e artistas circenses fazem tudo o que fizemos e mais sem o equipamento de proteção e sem redes. Mas a segurança triplamente testada das cordas da pista torna visível o risco essencial da vida cristã. Será que somos absolutamente vulneráveis? Será que tudo está sob risco nesta vida sem amarras, armações e ninguém segurando a corda do outro lado? Ou será que nossa vida está segura por alguém que foi até mesmo ao pó da morte e retornou, que conquistou a fonte definitiva da vulnerabilidade e mesmo agora mantém absolutamente seguro o nó da vida? Se Cristo não ressuscitou dos mortos, então tudo está sob ameaça e risco, os deuses da autoridade sem vulnerabilidade venceram, e somos, de todas as pessoas, aquelas que mais merecem ser objeto de pena. Contudo, Cristo de fato ressuscitou — essa é a aposta da vida cristã —, e portanto nenhum risco significativo é grande demais para a sua capacidade de resgate.

Sob o domínio dos ídolos, acreditamos que nosso problema é não possuir suficiente autoridade. A vida se torna uma busca para a obtenção de autoridade com o intuito de administrar e minimizar a vulnerabilidade. Os riscos ao nosso redor são óbvios e intermináveis: o terror da natureza, a hostilidade dos outros, a inevitável aproximação da morte. Para as pessoas que veem a vida desse modo, ganhar autoridade sem vulnerabilidade é pérola de grande valor, algo pelo que venderiam tudo a fim de adquiri-la. E, sob o domínio da idolatria e injustiça, é exatamente isso que fazemos.

No entanto, da primeira até a última página, a história que pôs o mundo de cabeça para baixo diz que a situação é exatamente o contrário disso. Nosso problema não é adquirir autoridade o bastante — não se fomos verdadeiramente feitos à imagem do todo-poderoso Criador, abençoados com memória, razão e habilidades, os que governam a criação.[1] Se esse foi o nosso verdadeiro começo, é ainda mais verdadeiro quanto ao nosso futuro: "Não sabem que julgaremos os anjos?", Paulo pergunta aos coríntios (1Co 6.3). A busca pelo poder na igreja dos coríntios demonstra seu entendimento equivocado de sua verdadeira autoridade: "Portanto, não se orgulhem de seguir líderes humanos, pois tudo lhes pertence: Paulo, Apolo ou Pedro, o mundo, a vida e a morte, o presente e o futuro. Tudo é de vocês, e vocês são de Cristo, e Cristo é de Deus" (1Co 3.21-23).

A julgar pela correspondência posterior de Paulo com eles, os coríntios não deram muita atenção a esse ensino. Parece terem sido facilmente afeiçoados a líderes que reivindicavam autoridade espiritual e a sustentavam com uma aparência pessoal imponente. O ministério de Paulo, de muito sofrimento e com frequência ameaçado, era visivelmente vulnerável. Quando ele lhes escreve de novo, poucos anos mais tarde, ainda mais afligido e exasperado do que antes, Paulo se vê na iminência de reivindicar exatamente esse tipo de excepcionalidade espiritual que os coríntios presavam. No entanto, ele está tão indisposto a se orgulhar de seu ministério que finge falar de outra pessoa:

> Conheço um homem em Cristo que, há catorze anos, foi arrebatado ao terceiro céu. Se foi no corpo ou fora do corpo, não sei; só Deus o sabe. Sim, somente Deus sabe se foi no corpo ou fora do corpo. Mas eu sei que tal homem foi arrebatado ao paraíso e ouviu coisas tão maravilhosas que não podem ser expressas em palavras, coisas que a nenhum homem é permitido relatar.
>
> 2Coríntios 12.2-4

Temos todas as razões para acreditar que Paulo esteja, de fato, descrevendo sua própria extraordinária experiência espiritual aqui, exatamente o tipo de "visões e revelações do Senhor" que asseguraria sua autoridade espiritual na efervescente atmosfera da igreja de Corinto. Todavia, algo aconteceu que colocou de cabeça para baixo a compreensão de Paulo sobre autoridade e vulnerabilidade:

> Da experiência desse homem eu teria razão de me orgulhar, mas não o farei; na verdade, minhas fraquezas são minha única razão de orgulho. Se quisesse me orgulhar, não seria insensato de fazê-lo, pois estaria dizendo a verdade. Mas não o farei, pois não quero que ninguém me dê crédito além do que pode ver em minha vida ou ouvir em minha mensagem, ainda que eu tenha recebido revelações tão maravilhosas. Portanto, para evitar que eu me tornasse arrogante, foi-me dado um espinho na carne, um mensageiro de Satanás para me atormentar e impedir qualquer arrogância.
>
> Em três ocasiões, supliquei ao Senhor que o removesse, mas ele disse: "Minha graça é tudo de que você precisa. Meu poder opera melhor na fraqueza". Portanto, agora fico feliz de me orgulhar de minhas fraquezas, para que o poder de Deus opere por meu intermédio. Por isso aceito com prazer fraquezas e insultos, privações, perseguições e aflições que sofro por Cristo. Pois, quando sou fraco, então é que sou forte.
>
> 2Coríntios 12.5-10

Não sabemos exatamente o que era o "espinho na carne" que atormentava Paulo. Sua escolha de palavras, porém, é impressionante. Um espinho encravado na carne seria uma fonte constante de fraqueza, e uma lembrança da fraqueza do corpo humano. No entanto, para quem conhecia a história da paixão final de Cristo, também seria uma lembrança permanente do sinal de autoridade que foi colocado sobre a cabeça de Jesus no caminho para a cruz, os espinhos que foram encravados em sua cabeça à medida que ele arriscava tudo a fim de restaurar o mundo ao verdadeiro desenvolvimento.

Não somos deficientes em termos de autoridade. Em Cristo, temos toda a autoridade de que precisamos e mais ainda — "Tudo é de vocês" (1Co 3.21). Mas aquilo que destrava essa autoridade é a disposição de nos expor a risco significativo, de nos tornar vulneráveis, capazes de sermos feridos no mundo. Pois isso também é o que significa carregar a imagem divina em nós, se Aquele por meio de quem foram feitas todas as coisas fala de um mundo em que ele mesmo pudesse ser traído, ferido e morto. O que nos falta para sermos iguais a ele não é, em última análise, mais autoridade, e, sim, mais vulnerabilidade.

É por isso que também os chamamentos distintivos das pessoas transformadoras envolvem vulnerabilidade, tanto oculta como escolhida. É por isso que pessoas evidentemente vulneráveis são parte crucial de todo o nosso desenvolvimento pessoal. É por isso que minha sobrinha Angela não é apenas objeto de nosso cuidado, mas também um sujeito em seu próprio mérito, alguém que faz fluir em nós a capacidade de sermos total e verdadeiramente humanos. É por isso que nossas falhas escondidas e óbvias, nossos fracassos e limitações, são de fato o caminho para a verdadeira força. Isso é boa notícia para todos que se sentem muito vulneráveis e sem poder de uma real autoridade: na economia de cabeça para baixo do reino, você possui a pérola que todos devem procurar. Como Paulo, que descobriu que seu "espinho na carne" era, de fato, o caminho em direção ao poder de Deus sendo aperfeiçoado, você tem com você, e em você, o segredo da vida que destrava o verdadeiro poder.

Convites ao risco

Se buscar a autoridade por si mesma, você não apenas acabará por ficar sem a autoridade que buscava, mas mergulhará no mesmo tipo de vulnerabilidade que esperava evitar. Entretanto, o contrário não é verdadeiro. Pelo fato de Deus ser por nós em nossa vulnerabilidade, e pelo fato de que "todas as coisas nos pertencem", e pelo fato de que até mesmo a vulnerabilidade definitiva da morte não é capaz de nos prender em suas garras — a busca por vulnerabilidade, na realidade, conduz à autoridade e ao desenvolvimento pessoal que vêm quando a autoridade e a vulnerabilidade são combinadas.

Sou relembrado desse fato em minhas frequentes conversas com estudantes e adultos emergentes a respeito de seu chamado e carreira. Compreensivelmente, a necessidade sentida por quase todo jovem é de como adquirir autoridade — como ganhar a capacidade de agir no local de trabalho e no mundo mais amplo. E, ainda assim, meu conselho a eles é quase sempre este: assuma mais riscos. Somente quem se abriu para o risco significativo terá maior possibilidade de receber a autoridade para a qual todos fomos feitos e que buscamos. De fato, buscar o risco significativo é por si só uma espécie de ato de autoridade. A razão para isso é que na economia do verdadeiro Criador e Redentor do mundo, risco significativo *é* o ato mais significativo, a vida que é realmente vida, o desenvolvimento pessoal para o qual fomos criados.

Isso não significa, como o sentido mais específico da palavra *vulnerabilidade* poderia erroneamente sugerir, que todos nós tenhamos de passar a vida balançando como uma gelatina emocional. O convite para assumir riscos toma diversas formas, e enquanto algumas delas nos levam para a parte de baixo e para a direita de nosso diagrama, exigindo o sacrifício que cada líder deve em algum momento fazer, muitas outras formas nos colocam diretamente a caminho do desenvolvimento pessoal. Quando lideramos com esses tipos de

> Somente quem se abriu para o risco significativo terá maior possibilidade de receber autoridade.

vulnerabilidade, vemos que o melhor tipo de autoridade também nos é concedida.

Prestação de contas. No sentido mais literal, convidamos outras pessoas a examinar nossas "contas", isto é, a averiguar as informações que guardamos e as histórias que contamos com a finalidade de encontrar sinais de verdade e de falsidade. A melhor prestação de contas percorre uma ampla escala de possibilidades, da honestidade quotidiana até o escrutínio especializado, "mais embaixo" para quem possui menos poder e "mais em cima" para quem tem mais poder. Se administramos um negócio, expomos nossas contas tanto para os contadores da firma como para o olhar mais detalhista de auditores externos, que são especialistas em avaliar documentos financeiros. Se ensinamos, buscamos as avaliações de nossos estudantes, de nossos colegas e de mentores mais sábios e experimentados. Estamos associados a comunidades nas quais nossas fachadas de competência podem desmoronar e podemos nos tornar conhecidos em toda a nossa gloriosa bagunça. Procuramos amigos que façam constantemente perguntas difíceis, encontramos confidentes que ouçam os relatos de nossos pecados e falhas e nos ofereçam misericórdia severa em vez de tolerância melosa.

Confrontação. Anos atrás, li sobre pesquisadores que acompanhavam um grupo de administradores de nível médio numa firma americana ao longo de muitos anos.[2] Alguns deles progrediram para níveis mais altos na firma, enquanto outros não. Qual era a diferença entre esses dois grupos? Os pesquisadores encontraram apenas uma diferença significativa: um grupo era coerentemente mais rápido do que o outro para falar quando alguma coisa estava errada em sua área de responsabilidade. Quando eles percebiam a possibilidade de uma falha, abordavam qualquer um que os ouvisse — fossem eles colegas, seus chefes, ou o chefe de seus chefes — e os envolviam na busca por entender o que estava errado e o que poderia mudar. O outro grupo tendia a minimizar o fracasso potencial, a desviar sua atenção dos sinais de advertência e a encobrir o dano eventual.

Aqueles que foram bem-sucedidos eram os que falharam gritante, rápida e ousadamente — em lugar de suave, vagarosa e timidamente.

Quais os administradores que tiveram mais "sucesso" em suas carreiras? Aqueles que fingiram que tudo estava basicamente bem, dizendo aos outros, e provavelmente a si mesmos, o que eles gostariam de ouvir? Não.

Aqueles que foram bem-sucedidos eram os que falharam gritante, rápida e ousadamente — em lugar de suave, vagarosa e timidamente.

Buscamos a verdadeira vulnerabilidade, do tipo que conduz ao desenvolvimento pessoal, quando usamos a autoridade a fim de reconhecer e lidar com falhas em vez de encobrir e minimizar as falhas. Aprendemos a falar logo quando sentimos que algo está errado. Falar da possibilidade de falha é sempre um risco, mas é um risco que pode aumentar, não diminuir, nossa autoridade.

Delegação. Aprendemos que o desejo de controlar os outros é uma idolatria que não nos concederá aquilo que buscamos e que, certamente, não os levará ao desenvolvimento pessoal. Então, entregamos o poder aos outros, dando-lhes a autoridade para agir em nosso lugar, para cultivar e criar por si mesmos, em lugar de simplesmente implementar nossa visão. Descobrimos a alegria do verdadeiro poder, que é dar espaço para que outras pessoas atuem com autoridade. Cada vez mais, mensuramos nossa vida por aquilo que outras pessoas fizeram — e receberam crédito por isso — graças à nossa supervisão. Ao nos expor ao risco de que outros poderão nos decepcionar, também nos abrimos à possibilidade de que nos surpreenderão e nos satisfarão com o desenvolvimento que eles criam.

Solidão, silêncio e jejum. Acolher as três disciplinas espirituais mais essenciais nos torna abertos ao tipo mais profundo de risco: o risco de descobrir quem realmente somos, em todas as nossas limitações e confusão. A solidão nos força a nos distanciar da contínua afirmação de nossa autoridade pelos outros; o silêncio nos compele à prática do sossego em vez da autoafirmação estridente; o jejum expõe nossa dependência da comida e de outras coisas boas a fim de estimular nossa percepção de agência e capacidade. Todas essas coisas, praticadas regularmente, vão nos tornar humildes, despertando a consciência de nossos limites e de nossa tolice. Sem a solidão, o silêncio e o jejum, não temos a verdadeira autoridade — estamos presos à aprovação de outras pessoas, viciados em nossas próprias trilhas sonoras e algemados a nossos prazeres. Do outro lado dessa vulnerabilidade, porém, está a verdadeira autoridade, fundamentada em algo bem mais profundo que as nossas circunstâncias.

Assuma um risco todas as noites

A chegada do palestrante era aguardada intensamente — o salão estava cheio e silencioso enquanto ele subia ao palco. A mensagem foi trazida de forma magistral, com histórias "pés no chão", mas dramáticas. Havia transições memoráveis nas frases, princípios bem articulados e algumas poucas confissões pessoais de efeito.

E tudo soava estranhamente familiar, porque eu já havia ouvido isso: cada limpada de garganta sugerindo a voz embargada pela emoção até a pausa de suspense. A mesma palestra tinha sido dada a um diferente público nove meses antes.

A repetição e a reprodução de algo não são coisas necessariamente ruins. Cada cópia deste livro, na verdade, contém exatamente a mesma mensagem, entregue da mesma maneira a cada leitor. Cantamos, vez após vez, as mesmas canções, repetindo as mesmas letras e melodias até que as aprendemos de cor. Como alguém que fala com frequência a novos auditórios, certamente tenho apreciação por uma apresentação bem trabalhada, que tenha sido testada e provada muitas vezes antes.

Contudo, naquela noite em particular, algo parecia estar fora de lugar. Sim, tinha havido vulnerabilidade real envolvida na escrita original, esmero e entrega naquela fala. Mas isso tinha sido meses ou anos antes. Que risco ocorria agora, aquela noite, com aquele grupo de pessoas reunidas na esperança de ouvir uma palavra verdadeira e transformadora? Era difícil perceber como a vulnerabilidade distante poderia fazer jus à autoridade outorgada pelo palco, pelo contexto e até mesmo pelas histórias autodepreciativas — sem mencionar o jatinho privativo que tinha trazido o palestrante ao encontro, com as despesas pagas pela conferência.

Experiências como essa produzem cinismo, um rápido e indolente juízo sobre pessoas com privilégio e poder. Naquela noite, porém, senti alguma coisa de muito maior benefício espiritual — um temor avassalador de que eu poderia facilmente acabar na mesma condição. Talvez, não com as mesmas armadilhas de poder e de fama, mas, ainda assim, envolvido em autodefesa, com a repetição segura das ações e palavras que me deram seja lá qual for o poder que eu tinha.

Por isso, comecei a procurar a ajuda de pessoas que precisam encontrar um meio de repetir as mesmas palavras noite após noite e, ainda assim, fazem com que cada repetição pareça real: atores profissionais. Nos meses que se seguiram ao momento *déjà vu* daquela conferência, perguntei a diversos atores como mantinham suas performances autênticas, mesmo que falando precisamente as mesmas bem memorizadas linhas.

"A cada performance, eu me pergunto que risco irei assumir esta noite", disse-me um amigo. "Algumas noites, focalizo apenas uma linha e tento expressar uma nova emoção por meio dela. Ou penso em como fazer algo novo numa cena que está se tornando previsível."

Telefonei para James, outro amigo que passou oito anos atuando em Nova York. Ele me disse:

> Os atores memorizam suas falas, mas o objetivo não é memorizar *apenas* as palavras. O objetivo é vivenciar a história de modo verdadeiro no palco, e não conseguimos fazer isso se já decidimos como iremos atuar. Imagine uma cena famosa, uma que todo ator e cada auditório conhecem, como Romeu indo para a cripta onde descobrirá que Julieta está morta. O ator sabe que ela está morta, o público sabe que ela morreu, mas *Romeu* não sabe. Romeu precisa descobrir esse fato cada vez. Você deve entrar na cena, sonhar seus sonhos, manter suas esperanças e deixar com que a peça os despedace.

James investiu anos de ensaio para adquirir a autoridade de um ator. Todas as noites, porém, em que ele encarna a personagem Romeu, ele tem de encontrar um jeito de tornar a vulnerabilidade de Romeu sua própria.

Faça o seu dever de casa

Aprendi uma lição bem diferente a respeito de falar em público de um homem, a quem chamarei de Terry, cuja carreira impressionante nos negócios culminou com sua indicação como CEO de uma companhia do nível da *Fortune 500*. Terry era uma figura rara para um CEO: quieto quase ao ponto de timidez. Após anos liderando pequenas empresas privativas, sua nova função demandou dele que apresentasse palestras para auditórios cheios de investidores e administradores. Intimidado pelas demandas de falar em público, ele buscou a ajuda de seu pastor.

"Terry, é fácil", disse o pastor. "Você precisa fazer somente três coisas a fim de ser um palestrante eficaz. Faça o seu dever de casa, ame o seu auditório e seja você mesmo."

Faça o seu dever de casa: obtenha a competência (autoridade) adequada para abordar o assunto em pauta. *Ame o seu auditório*: esteja aberto às vulnerabilidades deles, seus temores e sonhos, suas ambições e fracassos, e os veja como as pessoas que são, que carregam a imagem de Deus com a autoridade e a capacidade próprias deles. E *seja você mesmo*: traga a sua própria autoridade e vulnerabilidade juntas, em toda a sua amável incompletude, na presença deles. Como acontece com todos os lemas, isso tanto é completamente simples quanto demanda uma vida inteira para realizar.

Terry percebeu que essa simples equação lhe concedia exatamente aquilo de que necessitava a fim de cumprir sua nova função. Antes de cada compromisso de palestra, ele perguntava a si mesmo: *Fiz o meu dever de casa?* Anos de ajustamentos por causa de sua inabilidade no aprendizado o ensinaram a dominar o material com extenuante esforço, de forma que a resposta era sempre "sim". Então, ele podia voltar sua atenção para a questão central: *Amo o meu auditório?* Esse ponto se tornou o foco principal nas horas ou dias que antecediam sua fala. O que ele fazia era visualizar o tipo específico de pessoas que haveria no auditório e focalizar mente e coração para o que iria melhor servir a elas. Assim, quando ele se dirigia ao palco, havia somente uma tarefa: *ser ele mesmo*. A ansiedade que normalmente acompanhava uma fala em público desaparecia. Em seu lugar, surgia a autoridade e a vulnerabilidade que levou sua companhia ao desenvolvimento.

"Faça o seu dever de casa, ame o seu auditório e seja você mesmo."

Mencionei esse esquema de três passos de Terry a James, o ator. "Exatamente", disse ele. "E eu acrescentaria que amar o seu auditório significa *necessitar* de alguma coisa de seu auditório. É subir ao palco sabendo que se eles não se encontrarem com você, se não derem a você aquilo de que você precisa, você não pode fazer aquilo que veio fazer. O amor real somente existe onde há necessidade mútua."

Dada a sua agenda cheia, estou certo de que Terry deve repetir e reutilizar seu material, assim como o palestrante que ouvi duas vezes no mesmo ano. Por essa razão, Terry também vai aos seus muitos compromissos de avião privativo. Eles são superficialmente semelhantes em *status*, riqueza e posição. Contudo, as demandas da função de liderança que fez de um deles mais distante com o tempo fez do outro mais presente. As mesmas pressões que levaram um deles a se distanciar em sua autoridade levaram o outro a se abrir em vulnerabilidade — a precisar dos outros, a pedir conselhos e a continuar aprendendo.

Quero ser como Terry. Quero ser como Karl, Drew, Isabel e outras pessoas que me mostraram o que a real autoridade e a real vulnerabilidade significam, que me levaram ao verdadeiro desenvolvimento pessoal. Como Paul Farmer, eu quero ser um santo: ser parte da história significativa decisiva, apropriando-me da vida que é realmente vida.

A boa notícia é que isso é possível. Faça o seu dever de casa: prepara-se para assumir autoridade. Ame o seu próximo, o bastante para precisar dele, o bastante para saber do que ele precisa — abra-se para a vulnerabilidade. E, por fim, seja você mesmo: mostre-se com tudo o que você tem e com tudo o que você é, e com toda a verdade daquilo que você nunca será.

Risada

As histórias que contamos a nossos amigos e, muitas vezes, a nós mesmos se enquadram marcantemente em duas categorias: as histórias em que somos os heróis e as histórias em que somos as vítimas.

As histórias de heróis nos apresentam vencendo grandes dificuldades e forte oposição, não raro com um tom de triunfo justificado temperando o enredo. Sentado no avião, já ouvi muitas histórias de heróis, enquanto as pessoas se acomodam em seu assento e telefonam para suas pessoas amadas. Contam como conseguiram passar pelo congestionamento, como ficaram com o último espaço para a bagagem de mão nos compartimentos acima dos assentos, e como convenceram um atendente relutante a colocá-los na primeira classe. No refeitório na faculdade, ouvi histórias sobre a entrega de trabalhos pouco antes do vencimento do prazo depois de uma noite inteira sem dormir.

As histórias de heróis são histórias a respeito de autoridade — maneiras de sinalizar a nossos amigos que somos sortudos, bons ou ambas as coisas. São sempre seletivas, na melhor das hipóteses, e exageradas.

Mas há também as histórias de vítimas que, é claro, são histórias sobre vulnerabilidade. Descrevemos como fomos fechados por um motorista agressivo num carro de luxo, como perdemos o voo porque a fila da verificação de segurança estava muito longa, como fomos deixados na mão pela pessoa mais horrível no encontro marcado.

O tema das histórias de vítimas é, na realidade, o mesmo que nas histórias de heróis: nossa justificativa pessoal num mundo injusto. Somos bem-intencionados e não merecedores de nosso destino, estamos à mercê de conspirações pequenas ou cósmicas, somos pequenos demais para enfrentar as forças que se unem contra nós.

Quer contemos nossas histórias de heróis, quer de vítimas, somos sempre tentados a exagerar. Enquanto escrevo este capítulo, o âncora mais proeminente do noticiário na televisão teve sua carreira ameaçada por uma fábula falsa de ter sobrevivido por um triz a uma queda de helicóptero, depois de ser alvejado no Afeganistão. Essa história acabou por apresentá-lo tanto como vítima quanto como herói. (Na verdade, seu helicóptero estava a quilômetros de distância do incidente que ele "relembrou de forma equivocada".)

Nossa verdadeira história não diz de fato respeito a nós — ela diz respeito a nosso resgatador.

No entanto, existe um outro tipo de história que todos nós podemos contar — uma história que nos representa numa luz muito diferente. É uma história de *resgate*.

"Oh! Graça sublime do Senhor, perdido me achou" — isso não é exagero. Quanto mais compreendemos como de fato deixamos de lado o nosso verdadeiro chamamento, como nos tornamos presa da injustiça, segurança e pobreza, tanto mais entendemos a grandeza de nosso resgate, e como é pouco o que poderíamos reivindicar como crédito nosso.

Se você quiser uma última ilustração de autoridade e vulnerabilidade juntas, o riso dará conta disso.

Nossa verdadeira história não diz de fato respeito a nós — ela diz respeito a nosso resgatador. Ele entra em nossa história e age com autoridade — ele é o verdadeiro herói. Ainda assim, ele leva sobre si a nossa vulnerabilidade — ele se oferece como a vítima. Sua chegada na história nos liberta a fim de que nos desenvolvamos de forma pessoal. E a marca de sua chegada não é o grave brado de vitória do herói ou o grave clamor de desespero da vítima, mas o som marcante daqueles que são surpreendidos pela alegria: o *riso*.

> Quando o SENHOR trouxe os exilados de volta a Sião,
> foi como um sonho.
> Nossa boca se encheu de riso,
> e cantamos de alegria.
> As outras nações disseram:
> "O SENHOR fez coisas grandiosas por eles".
>
> Salmos 126.1-2

Se você quiser uma última ilustração de autoridade e vulnerabilidade juntas, o riso dará conta disso. Rir, realmente rir bem alto, é ser vulnerável, ser levado para além de nós mesmos, ser tomado pela surpresa e gratidão. E rir de verdade pode ser o tipo definitivo, o melhor tipo de autoridade — a capacidade de perceber o sentido da história como um todo e de descobrir que o nosso ato final, a nossa única e permanente responsabilidade nessa história, é simplesmente celebração, prazer e adoração.

Depois de suportar nossa vulnerabilidade oculta, mesmo depois de termos descido ao mundo dos mortos, depois de termos sido resgatados de nosso sofrimento, nosso recolhimento e exploração — seremos elevados, restaurados ao nosso devido lugar. E nós vamos rir.

A vida que é realmente vida

No verão em que terminei este livro, meus pais comemoraram cinquenta anos de casados. Nós nos reunimos todos em sua casa barulhenta, no estado de Massachussets, para uma celebração simples que começou com o culto no domingo de manhã e continuou na ampla varanda que dá para a floresta no fundo da casa deles. Os primos — os filhos de minha irmã e os meus — se reuniram para tocar música e alguns jogos. No meio de todos está Angela, com quase onze anos.

De forma alguma, eu jamais iria romantizar o grande peso que Angela significa para a família de minha irmã, o quanto o cuidado por ela tem custado em todos os sentidos: sono, liberdade, dinheiro e saúde pessoal. Foram muitas as noites difíceis, na escuridão profunda na região norte da Nova Inglaterra, em que ela precisou ser levada às pressas e apreensivamente para o hospital por causa de ainda outra mudança desconcertante em sua condição. Ao ter de lidar a cada dia com o peso literal de um ser humano que requer todo tipo de cuidados, mas que não é capaz de cuidar de si mesmo, a situação de Angela os expôs a uma vulnerabilidade mais profunda que nenhum de nós escolheria para si. A única maneira em que esse peso pode ser, pelo menos, remotamente suportável acontece somente porque outras pessoas também escolheram a vulnerabilidade: meus pais e suas inúmeras viagens de ida e volta entre a casa deles e a de minha irmã; os cheques que todos nós preenchemos para ajudar com o equipamento especial e os suprimentos; os amigos que aliviaram o cansaço de minha irmã por algumas horas, justamente quando parecia que o tédio e o desafio do cuidado permanente das necessidades de Angela eram demais; a comunidade, o estado e a nação que providenciaram programas de apoio para famílias como a de minha irmã.

Com Angela em nosso meio, com todas as suas inescapáveis vulnerabilidades, algo profundamente saudável aconteceu em minha família de origem, uma família em que o amor tem sido real, mas também tem sido testado e, às vezes, tem sido bem difícil. Espalhados por três estados, distraídos pelas demandas e oportunidades de um trabalho frutífero e as incontáveis distrações do estreito mundo virtual, nós — talvez fosse mais honesto dizer *eu* — poderíamos facilmente perder o chamado para o desenvolvimento juntos. Angela, porém, tem concentrado a nossa atenção e o nosso amor. Num mundo centrífugo, onde tudo e todos fogem das exigências do amor, Angela é o centro gravitacional, atraindo-nos de volta a cada um de nós e à verdadeira vida. Esta é a vida que é realmente vida, a vida que o dinheiro não pode comprar: a vida que torna o desenvolvimento pessoal possível, com grande custo e com muitas lágrimas.

Ela jamais pode entender isso, mas a vida inteira de Angela somente foi possível por causa de uma rede sempre em expansão de extraordinários atos de amor e sacrifício, autoridade e vulnerabilidade.

É claro, o mesmo pode ser dito sobre cada um de nós.

Num dia de verão como este, num cobertor com brinquedos simples a seu alcance, com o sol em seu cabelo e a brisa em seu rosto, Angela está se desenvolvendo. Ela é conhecida, ela é amada, e porque ela existe, outros são chamados para o quadrante de cima à direita com ela.

Ela tem somente uma vida digna de ser vivida — a vida que realmente é vida. E por causa dela, o resto de nós também.

Enquanto este livro era preparado para a publicação, Angela Frances Ricker morreu em casa por complicações de sua condição. Ela tinha onze anos. Ela morreu, como nasceu e viveu, cercada de amor.

Agradecimentos

Minha profunda gratidão, em primeiro lugar, a meus pais, Wayne e Joyce, por sua firmeza e calor humano em minha infância, por sua generosidade e abertura em minha vida adulta; e, em segundo lugar, a Melinda e Dave Ricker, por me mostrarem de diversas maneiras o que o amor e o desenvolvimento pessoal podem ser.

Editores e agentes também criam desenvolvimento quando combinam autoridade e vulnerabilidade. Meu obrigado a Andy Le Peau por demonstrar que é possível — e necessário — tanto ser temido como ser amado! Este livro é muito melhor por causa de sua inabalável honestidade e firme paciência. Obrigado a Kathy Helmers por suas valiosas contribuições no desenvolvimento deste livro e de seu assunto.

Meu obrigado a toda a equipe da InterVarsity, não por último a Cindy Kiple por ainda outra capa perfeita; obrigado por tomarem meras palavras e disponibilizá-las de uma forma tão habilidosa a tantos leitores.

Minha esposa, Catherine, é minha primeira e melhor leitora, aquela que conhece e compartilha de minha autoridade e vulnerabilidade, e que é a maior dádiva de desenvolvimento pessoal em minha vida. Muito obrigado.

Um guia para discussão

1. Crouch define *desenvolvimento pessoal* como estar plenamente vivos, conectados com nosso propósito humano, bem como participando, de alguma forma, da glória de Deus. Como você define *desenvolvimento pessoal*? O que isso é para você?
2. O que você pensa do paradoxo de Crouch para quem o desenvolvimento pessoal resulta de ser tanto forte como fraco?
3. Como Jesus, sendo ao mesmo tempo forte e fraco, é um exemplo de desenvolvimento pessoal?
4. Como você reage à história de Angela, no capítulo 2, alguém profundamente debilitada que, ainda assim, exerceu forte impacto nas pessoas que a cercavam?
5. O sofrimento pode ser físico, financeiro, emocional e espiritual. Todos nós visitamos o quadrante do Sofrimento (cap. 3). Quais são os efeitos, em curto e em longo prazo, do sofrimento nas pessoas?
6. Crouch diz que a construção de autoridade duradoura é essencial para retirar tanto indivíduos como comunidades do sofrimento. Você concorda com isso ou não? Explique.
7. No capítulo 4, Crouch afirma que segurança é uma coisa boa, na qual se espera que todos iniciem a vida. Por que o

apegar-se ao quadrante do Recolhimento pode na verdade ser algo debilitante para os seres humanos?

8. A tentação real para a maioria de nós não é a completa indiferença, mas as atividades que simulam ação significativa e risco significativo sem, de fato, exigir muito de nós e sem transformar muita coisa em nós. Crouch menciona cruzeiros marítimos e *video games* como exemplos. Ele também discute passos pequenos e práticos que podem nos mover para fora do quadrante do Recolhimento, como desligar os aparatos eletrônicos por algum tempo, ou fazer perguntas um pouco mais profundas que as usuais a um amigo. Quais seriam maneiras concretas em que você poderia dar um passo para fora do quadrante do Recolhimento?

9. No capítulo 5, Crouch diz que Exploração é a tentativa de evitar a vulnerabilidade com o incremento da autoridade. O melhor primeiro sinal de alerta de que estamos nos desviando na direção da Exploração (nos relacionamentos, no trabalho ou na família, em vícios que vão do álcool até romances) é que nossos relacionamentos mais chegados começam e se desfazer. Você acredita que isso é verdade ou não? Explique.

10. Quais dos três quadrantes (Sofrimento, Recolhimento, Exploração) é aquele no qual você está com mais frequência e por quê?

11. Crouch oferece dois caminhos na direção do desenvolvimento pessoal, dois caminhos exemplificados por Jesus. O primeiro, no capítulo 6, é o da vulnerabilidade oculta. Você concorda que, às vezes, é necessário ocultar nossas

vulnerabilidades para que os outros possam se desenvolver? Explique.

12. Crouch diz que ninguém sobrevive à vulnerabilidade oculta sem companheiros compreensivos. Como você percebeu a veracidade desse fato?

13. O que você acha da proposição de Crouch no capítulo 7, "Descer ao mundo dos mortos", de que apenas quando assumimos o sofrimento de uma posição de autoridade é que podemos encontrar o verdadeiro desenvolvimento pessoal?

14. Quais seriam meios práticos de abdicar de autoridade (tornar-se vulnerável) de modo que outras pessoas a assumam e tragam o desenvolvimento?

15. Qual é a ideia-chave, a coisa mais útil, que você leva consigo de *Quando sou fraco, sou forte*?

Notas

Capítulo 1

[1] A grande maioria da literatura nessas duas dimensões do "estilo de criação de filhos", que foi um dos princípios organizadores da obra de Diana Baumrind, converge para a resenha de Maccoby e Martin em 1983, "Socialization in the Context of the Family: Parent-Child Interaction", in: P. H. Mussen e E. M. Hetherington, *Handbook of Child Psychology:* Vol. 4. *Socialization, Personality, and Social Development*, 4ª ed. (Nova York: John Wiley & Sons, 1983). Essa resenha foi resumida numa forma acessível *on-line*, com outras referências ainda, em Kendra Cherry, "Parenting Styles: The Four Styles of Parenting", <http: / / psychology. about.com / od / developmentalpsychology / a / parenting-style.htm>. É importante observar que uma área da pesquisa e do debate atual trata do alcance da aplicação das categorias de Baumrind fora da cultura dominante da América do Norte. Veja a discussão em Nancy Darling e Laurence Steinberg, "Parenting Style as Context: An Integrative Model", *Psychological Bulletin* 113, nº 3 (1993), p. 487-496.

[2] Meu obrigado a Kelly Monroe Kullberg (em outro contexto) por essa amável e perceptiva distinção.

[3] Fica o meu pedido de desculpas aos especialistas em matemática, para os quais a minha numeração prossegue na direção errada — e que vão também notar que este não é exatamente um sistema de coordenação convencional.

Capítulo 2

[1] Meu cunhado David Ricker escreveu a respeito dos primeiros meses de Angela em "Trisomy 13", *Lifelines* (2011-2012), p. 66-74. <http: / / geiselmed.dartmouth.edu / lifelines / pdf / 2012_lifelines.pdf>.

[2] No que segue, fui ajudado de modo tremendo por Oliver O'Donovan (especialmente em *The Desire of the Nations: Rediscovering the Roots of Political Theology* [Nova York: Cambridge University Press, 1999]), Victor Austin (*Up with Authority: Why We Need Authority to Flourish as Human Beings* [Nova York: T&T Clark, 2010]), e mais recentemente por David T. Koyzis (*We Answer to Another: Authority, Office, and the Image of God* [Eugene, OR: Pickwick, 2014]). Koyzis é particularmente compreensivo e esclarecedor. Embora eu omita muitas de suas valiosas distinções nessa simples discussão, recomendo seu livro como um ponto de partida para qualquer um que busque um tratamento do tema autoridade de uma perspectiva cristã, e como um passo adicional para quem leu meu livro *Playing God* nas nuances da teoria política e suas implicações para o desenvolvimento de comunidades e instituições.

[3] Muitos já havia expressado essa ideia antes de mim, incluindo, como David T. Koyzis observa, Richard T. De George em *The Nature and Limits of Authority*: "O inimigo, contudo, não é a autoridade, mas o abuso da autoridade" (citado em Koyzis, p. 171).

[4] Patrick Lencioni, *Getting Naked: A Business Fable About Shedding the Three Fears That Sabotage Client Loyalty* (San Francisco, CA: Jossey--Bass, 2010).

[5] Walter Brueggemann, "Of the Same Flesh and Bone", *Catholic Biblical Quarterly*, vol. 32 (1970), p, 532-542. Fui alertado sobre esse artigo por uma postagem num *blog* por Matthew Lee Anderson.

Capítulo 3

[1] Adrian Chen, "The Laborers Who Keep Dick Pics and Beheadings Out of Your Facebook Feed", *Wired* (outubro de 2014), <www.wired.com/2014/10/content-moderation/>. Como o título indica, o artigo contém descrições gráficas (sem imagens) de conteúdo altamente perturbador.

[2] Descrevi essa visita em mais detalhes no livro *Playing God* (Downers Grove, IL: InterVarsity Press, 2013), p. 19-24.

Capítulo 4

[1] Gartner, Inc., "Gartner Says Worldwide Video Game Market to Total $93 Billion in 2013", <www.gartner.com/newsroom/id/2614915>,

acessado em 21 de fevereiro de 2015. "Global entertainment and media outlook 2015-2019", <www.pwc.com/gx/en/global-entertainment media-outlook/segment-insights/filmed-entertainment.jhtml>, acessado em 21 de fevereiro de 2015.

[2] "Farming Sheep, Cows and Pigs in Minecraft", <www.minecraft101.net/g/farming-animals.html>, acessado em 31 de dezembro de 2014.

Capítulo 5

[1] Phil Bowling-Dyer escreveu sobre essa experiência em "Being Black in Our Neighborhood—and in America", *re:generation quarterly* (primavera de 2001), <www.ctlibrary.com/rq/2001/spring/7108.html>, acessado em 6 de julho de 2015.

Capítulo 6

[1] Jad Mouawad e Christopher Drew, "Airline Industry at Its Safest Since the Dawn of the Jet Age", *The New York Times*, 11 de fevereiro 2013, página A1, <www.nytimes.com/2013/02/12/business/2012-was-the-safest-year-for-airlines-globally-since-1945.html>, acessado em 21 de fevereiro de 2015.

[2] A imagem acompanhou a história de capa, "Good Morning, Evangelicals!", *Christianity Today*, novembro de 2005.

Capítulo 7

[1] Philip Ryken, "Nobody Knows the Trouble I've Seen", <www.youtube.com/watch?v=yVQ8xVp7kA>, acessado em 19 de fevereiro de 2015.

[2] A história da jornada de Steve e Sharol ao longo de seus meses com câncer é contada em *Joy in the Journey: Finding Abundance in the Shadow of Death* (Downers Grove, IL: InterVarsity Press, 2015).

Capítulo 8

[1] Essa linguagem é adaptada da Oração Eucarística C do *Livro de Oração Comum*, da Igreja Episcopal.

[2] Infelizmente, não consegui recuperar a informação do artigo que descreve esse estudo.

Compartilhe suas impressões de leitura,
mencionando o título da obra, pelo e-mail
opiniao-do-leitor@mundocristao.com.br
ou por nossas redes sociais

Esta obra foi composta com tipografia Palatino e Europa
e impressa em papel Pólen Natural 70 g/m² na Imprensa da Fé